EMOÇÕES QUE CURAM
Copyright © 2013 by Editora Dufaux
1ª Edição | novembro 2013 | do 1º ao 5º milheiro
11ª reimpressão | Novembro 2020 | 43º ao 43,6º milheiro

DADOS INTERNACIONAIS DE CATALOGAÇÃO PÚBLICA

DUFAUX, ERMACE (ESPÍRITO)
    Emoções que curam: culpa, raiva e medo como forças de libertação.
    Ermance Dufaux (Espírito): psicografado por Wanderley Oliveira.
    Belo Horizonte: Dufaux, 2013.

    273 p.   16 x 23 cm

    ISBN 978-85-63365-28-6

        1. Espiritismo   2. Psicografia
        I. Oliveira, Wanderley   II. Título

    CDU 133.9

    Impresso no Brasil   Printed in Brazil   Presita en Brazilo

                  Editora Dufaux
            R. Contria, 759 - Alto Barroca
           Belo Horizonte -MG, 30431-028
           comercial@editoradufaux.com.br
              Tel.:(31) 3347-1531
           WWW.EDITORADUFAUX.COM.BR

 Conforme novo acordo ortográfico da língua portuguesa ratificado em 2008.

OS DIREITOS AUTORAIS DESTA OBRA FORAM CEDIDOS PELO MÉDIUM WANDERLEY OLIVEIRA À SOCIEDADE ESPÍRITA DUFAUX (SEED). TODOS OS DIREITOS RESERVADOS À EDITORA DUFAUX. É PROIBIDA A SUA REPRODUÇÃO PARCIAL OU TOTAL ATRAVÉS DE QUALQUER FORMA, MEIO OU PROCESSO ELETRÔNICO, SEM PRÉVIA E EXPRESSA AUTORIZAÇÃO DA EDITORA NOS TERMOS DA LEI 9 610/98, QUE REGULAMENTA OS DIREITOS DE AUTOR E CONEXOS.
ADQUIRA OS EXEMPLARES ORIGINAIS DA DUFAUX, PRESERVANDO ASSIM OS DIREITOS AUTORAIS.

Wanderley Oliveira
Ermance Dufaux

CULPA, RAIVA E MEDO COMO FORÇAS DE LIBERTAÇÃO

Emoções que Curam

Série
Harmonia Interior

Dufaux
editora

Sumário

Prefácio | 10
Curai os enfermos

Introdução | 16
A cura do egoísmo

Fechamento da série | 26
"Harmonia Interior"

1 |32
Emoções híbridas

2 | 42
A presença do sombrio nas relações afetivas

3 | 58
Transforme sua raiva em soluções

4 | 66
Palavras de uma mãe sobre a culpa

5 | 82
Medos indicadores de crenças limitadoras

6 | 90
Efeitos energéticos da carência afetiva e da solidão

7 | 98
O desencarne de um palestrante espírita

8 | 112
Como se tratar diante das frustrações

9 | 120
Psicologia da alegria na transformação interior

10 | 128
Aceitação da nossa falibilidade

11 | 136
Cordões energéticos I – relações afetivas tóxicas

12 | 150
Cordões energéticos II – técnicas de limpeza e cura

13 | 162
O casamento acidental e o provacional

14 | 174
Etapas emocionais da reforma íntima

15 | 184
Você tem medo de perder?

16 | 190
O amadurecimento emocional dos médiuns

17 | 200
O tema espírita mais urgente no século XXI

18 | 208
Proteção energética na reforma íntima

19 | 216
Relações cármicas que curam

20 | 226
Entrevista sobre autoamor

Epílogo | 234
Estações da alma no amadurecimento emocional

Posfácio | 252
Humanização da comunidade espírita

Curai os Enfermos

"E, chamando os seus doze discípulos, deu-lhes poder sobre os espíritos imundos, para os expulsarem, e para curarem toda a enfermidade e todo o mal. Curai os enfermos, limpai os leprosos, ressuscitai os mortos, expulsai os demônios: de graça recebestes, de graça dai."

Mateus 10:1 e 8.

Meus filhos, Jesus lhes abençoe os caminhos com muita paz.

O amor ao próximo é a alma dos princípios cristãos.

A lei universal de amor nos permite e convida-nos à ação consoladora em favor das necessidades de nosso próximo. Entretanto, a ação no bem, por si mesma, não representa a cura pessoal.

Estender a mão que apoia e enxugar lágrimas são roteiros insubstituíveis de solidariedade e bondade a que todos somos chamados para propiciar o bem alheio, a cura e a redenção, entretanto, são caminhos individuais e intransferíveis, frutos do merecimento e do trabalho pessoal.

Quando o Mestre orientou os apóstolos para "curarem toda a enfermidade", antes de tudo, estava propondo a ação curativa de si mesmos. É interessante notar que aqueles que foram beneficiados pelas Suas mãos santas já apresentavam as condições íntimas de libertação de suas dores e privações.

A narrativa evangélica assegura que o Senhor "deu-lhes poder", antes mesmo de recomendar as ações solidárias de curar, limpar, expulsar e ressuscitar. Conferir poder é acolher, estimular, orientar e reforçar a divindade adormecida e ignorada no íntimo do coração. Todo servidor do bem que busca sua própria iluminação habilita-se, pelo exemplo e pela força de suas atitudes sinceras, a despertar esse poder em seu próximo. O poder da crença lúcida, o poder da fé legítima, o poder do amor curativo.

A vida de Jesus é repleta de preciosas histórias de despertamento, que se deram por meio da pedagogia da crença no valor pessoal, a partir da amorosidade, do acolhimento e da inclusão. Na singela expressão "deu-lhes poder", está resumida a mais gloriosa missão das linhas do amor.

Nessa ótica, amar é construir relações afetivas capazes de fazer florescer o melhor de cada um de nós, dilatando o poder individual de cura e de iluminação interior.

Quem ama acolhe sua própria sombra interior com tão rica bondade, que conquista o poder de um descobridor de talentos de quantos se encontrarem à sua volta. Quem ama tem luz no olhar e destaca sempre o bem e a riqueza íntima de todos.

Embora consideradas emoções que causam sofrimento, à luz do amor, podemos transformar a tristeza e a mágoa, o medo e a culpa, o orgulho e a inveja em adubos nutrientes no canteiro da alma, produzindo farta colheita de frutos. Estas são emoções que curam e, nessa transformação, reside o poder da cura pessoal.

A tristeza é um convite para o melhor ajustamento à realidade.

A mágoa é uma dor que nos sacode para que descubramos velhas ilusões no campo mental.

O medo é um amigável indicador de que queremos responder acertadamente aos desafios, requisitando de nós mesmos maior preparo e atenção.

A culpa é uma exigente orientadora que nos convoca a rever crenças e valores.

O orgulho é uma força que, bem orientada, torna-se pilar da autoestima.

A inveja é uma pista concreta sobre talentos adormecidos nos recessos profundos da inteligência.

Curar não significa eliminar a parcela de sombra pertinente às nossas atitudes, pois nos porões sombrios da vida mental existem terrenos férteis para a semeadura em favor da iluminação da consciência.

Em cada traço sombrio da personalidade humana, existe uma dica emocional em favor da cura de nossas enfermidades. Essas sombras constituem emoções curativas quando iluminadas por uma percepção sadia e consciente.

Louvemos a vida e a oportunidade que nos foi entregue de curadores de nós próprios nas bênçãos da reencarnação e comecemos o quanto antes a cuidar do enfermo que está dentro de cada um de nós, promovendo-nos à condição de saudáveis filhos de Deus.

Esse trabalho interior de recuperação é um resultado de três ciclos que amadurecem a experiência emocional e psíquica. O primeiro, o autoconhecimento; o segundo, a autotransformação; o terceiro, o autoamor.

Esses são os três ciclos do poder pessoal, os três pilares do amor que liberta e quem avança por eles alcança poder.

Quem alcança poder íntimo pode "curar enfermos, ressuscitar os mortos, expulsar demônios e limpar leprosos", conforme a recomendação de Jesus aos seguidores de sua mensagem sublime.

De coração agradecido e por entre as luzes do amor e da compaixão, recebam minha bênção sincera em nome de Jesus Cristo.

Bezerra de Menezes, julho de 2013.

A cura do egoísmo

> *"O egoísmo é, pois, o alvo para o qual todos os verdadeiros crentes devem apontar suas armas, dirigir suas forças, sua coragem. Digo: coragem, porque dela muito mais necessita cada um para vencer-se a si mesmo, do que para vencer os outros."*
>
> Emmanuel (Paris, 1861).
> O evangelho segundo o espiritismo, capítulo 11, item 11.

Uma análise prudente dos problemas sociais na Terra exige o exame minucioso da influência moral do egoísmo nas atitudes humanas. Em todos os tempos, a raiz dos vícios pode ser explicada ao se estudar o comportamento egoísta e o que o homem é capaz de fazer quando é escravo dos seus interesses pessoais.

Porém, não é somente no campo objetivo da vida que se pode perceber a ação destrutiva do comportamento egocêntrico. Na vida mental inconsciente, hábitos milenares que governam atitudes e sentimentos são capazes de elaborar severas dores da alma. Os processos psíquicos e emocionais mais variados guardam uma conexão estreita com a personalidade egoísta. Sentimentos estruturais que serviram para o progresso do espírito na caminhada evolutiva, como a culpa, a raiva, o medo, a tristeza e o orgulho, sofreram terríveis mutações sob a influência agressiva do egoísmo, transformando emoções básicas e necessárias para o crescimento evolutivo em estados psíquicos e emotivos geradores de sofrimento.

A culpa sob o golpe do egoísmo transforma-se em remorso

perturbador e martírio destruidor.

A raiva dirigida pelo egoísmo acomoda-se na mágoa dilacerante e na depressão.

O medo dominado pelo egoísmo transforma-se em insegurança e ansiedade viciante.

A tristeza sob a pressão do egoísmo encarcera o coração na revolta e na rebeldia.

O orgulho sob o fascínio do egoísmo atola-se nos lamaçais da arrogância venenosa e da vaidade entorpecente.

Hoje, tais sentimentos estruturais, que foram colocados no homem para o bem, tornaram-se paixões corrosivas do sossego e da paz íntima. Vejamos:

> "Será substancialmente mau o princípio originário das paixões, embora esteja na natureza?
>
> Não; a paixão está no excesso de que se acresceu a vontade, visto que o princípio que lhe dá origem foi posto no homem para o bem, tanto que as paixões podem levá-lo à realização de grandes coisas. O abuso que delas se faz é que causa o mal."[1]

Por esse motivo, estudar o egoísmo, compreender suas manifestações sutis na vida interior, examinar os comportamentos mais prováveis na órbita de sua manifestação e meditar sobre a importância de usá-lo em favor da nossa libertação torna-se uma tarefa inadiável do servidor de Jesus motivado pelos ideais de espiritualização e honestamente disposto a

---
1   *O livro dos espíritos*, questão 907.

edificar uma reforma íntima autêntica.

Sem dúvida, o maior desafio na trilha ascendente do progresso moral é enfrentar os disfarces sutis do personalismo e aprender a construir laços seguros e realistas com a própria consciência, na qual se encontram as indicativas perfeitas para nossa libertação espiritual.

A cura do egoísmo não significa extirpá-lo, mas dar-lhe rota segura para que ele cumpra apenas a sua função educativa de preservação necessária, por meio da consolidação de uma autoestima abundante, que é o alicerce da sanidade e do bem-estar na sociedade.

Curar o egoísmo é aprender a criar uma harmonia interior entre a gritaria do ego e os chamados da consciência, é ter a coragem de olhar para nossa personalidade orgulhosa e interesseira, vaidosa e repleta de melindres, e dar-lhe a direção divina e rica de amor. É reorientar nossos sentimentos para o autoamor.

Nossa personalidade egoísta só pensa em si. Em contrapartida, o autoamor é o movimento da alma que também pensa em si, mas sem excluir a interação com as Leis Paternais da solidariedade e do bem comum a todos. Autoamor é, portanto, a aplicação do egoísmo com finalidades superiores que preenchem o coração de paz e alegria.

Esse processo curativo envolve reeducação emocional. Uma reforma íntima centrada no autoamor não se resume em negar interesses pessoais, mas em orientá-los para o equilíbrio. Reorientar nosso egoísmo a golpes de negação das necessidades e interesses pessoais é tão nocivo quanto dar vazão à carga tóxica de egocentrismo.

Nossa proposta nestes despretensiosos textos é examinar os mais profundos mecanismos emocionais do egoísmo em nossa conduta e indicar os caminhos de como transformá-lo em autoamor, em emoção que cura.

Primeiramente, precisamos entender que o efeito mais indesejável do trajeto experimentado por nós nos ciclos das vidas sucessivas é trazer na intimidade o roteiro de dor e infelicidade que nos enquadra nas provas e expiações terrenas.

A conduta personalista cristalizou a paixão pela satisfação pessoal a qualquer preço. Hoje, quem se decide por uma mudança desse hábito milenar depara-se com dois reflexos principais: o primeiro, no campo do pensamento, é a nociva experiência da idealização; o segundo, no campo emocional, é a corrosão do sentimento de fé. Esses dois reflexos são extremamente entrelaçados e repercutem um sobre o outro, criando um clima de autoaversão e um profundo desconforto com nós mesmos sem aparentes motivos.

Mentes idealistas pensam muito no mundo, na vida e nas pessoas. Elas idealizam como as coisas deveriam ser e reagem de forma doentia quando suas expectativas não são realizadas. Esse é o hábito central de quem usou a inteligência para manipular o mundo em favor de seus prazeres transitórios. Sob indução desse hábito extremamente cristalizado nas engrenagens profundas do pensamento, o idealista que hoje se propõe a uma reforma interior vai experimentar dores emocionais na alma como carência afetiva, compulsiva necessidade de resolver os problemas alheios seguida de desastroso autoabandono, solidão dilacerante, mesmo tendo a convivência familiar, profissional e social; acentuado sentimento de frustração, mesmo quando alcançando os resultados possíveis; manutenção de relacionamentos tóxicos baseados na dependência emocional, mágoa recorrente como expressão de revolta comportamental, severo sentimento de culpa pelo que fez e pelo que não fez, manifesto por meio de rigorosas autocobranças e penitências; medo muito intenso de situações imaginárias que provavelmente nunca irão acontecer, necessidade de controlar tudo e todos na tentativa de ajeitar a existência ao seu gosto e episódios camuflados de revolta contida ou agressividade. Essas dores emocionais geram uma sensação de desproteção perante a vida, de ausência de sentido para viver.

Com vivências tão dolorosas, estabelece-se um vazio existencial que corrói o sentimento de fé, e sem a fé, que pode ser comparada ao combustível do ato de viver e ao eixo de alinhamento da vida mental, surge a desvitalização, a depressão e o desespero perante as experiências provacionais e expiatórias. Sem fé, o ato de viver se torna muito penoso.

Uma mente em constante processo de idealização distancia-se da realidade. Um coração sem fé distancia-se da alegria de viver.

Uma mente atormentada pelos mecanismos sombrios da

idealização e pela ausência de fé, quando deseja realizar uma reforma íntima, corre um risco enorme de tratar-se com tamanha inimizade ante as dores da alma, que sua proposta de melhoria poderá produzir agressões à saúde psíquica.

A recomendação de uma transformação sob o escudo do autoamor suaviza esses reflexos e estimula a caminhada. O autoamor é protetor. Quem se trata com acolhimento, mesmo reconhecendo suas imperfeições, aumenta suas chances de melhora e faz uso de duas medicações essenciais para sua cura: a adequação do pensamento à realidade e o ajuste emocional à autoaceitação.

Se aprendermos a direcionar o pensamento para a iluminação espiritual, o idealismo improdutivo converte-se em autoconhecimento.

Se esforçarmo-nos por uma reeducação emocional bem orientada, a descrença na alegria de viver transforma-se em impulso de autotransformação, e quem se aprimora em autoconhecimento, aplicando-o para sua autotransformação, alcança, inevitavelmente, a conduta do autoamor.

Egoísmo à luz do autoamor significa cuidar de si, pensar em si e olhar por si, sempre tomando por base o bem, não somente o seu, mas o de todos, na perspectiva da realidade, dentro do possível. Quem aprende a se amar utiliza o egoísmo da forma mais sublime para a qual ele foi criado. Curar o egoísmo é dar-lhe finalidade libertadora.

No texto de abertura desta seção, Emmanuel refere-se à coragem, como destaca em: "O egoísmo é, pois, o alvo para o qual todos os verdadeiros crentes devem apontar suas armas, dirigir suas forças, sua coragem.". Sim, é verdade! Transformar egoísmo em autoamor exige coragem. A coragem de nos testar, de experimentar, de arriscar reconhecer nossos limites verdadeiros, de entender a natureza dos nossos sentimentos e ousar condutas que nos protejam do emaranhado de nossas próprias plantações na sementeira da vida.

Essa cura interior vai nos exigir tratar das três principais feridas evolutivas da alma: o sentimento de inferioridade, a sensação de desamparo e a cruel realidade de nossa falibilidade.

O remédio está muito bem indicado nas receitas sublimes do Evangelho de Jesus. Cabe a nós usá-lo na dose certa. Na enfermaria das experiências da vida, somos seres doentes em busca de nossa própria alta médica, dispostos a renovar os caminhos em busca do progresso e da felicidade.

A esperança que alimenta nosso ideal de servir e amar é a de que os apontamentos desta obra possam cooperar de alguma forma com o tratamento de nossas enfermidades da alma.

Que Deus, em Sua infinita bondade e amor, nos abençoe a todos com muita alegria e paz na alma.

Acolho a todos com meu abraço afetuoso.

Ermance Dufaux, julho de 2013.

Fechamento da Série

Harmonia Interior

A cada dia fica mais claro o quanto a sociedade, em todos os continentes do planeta, se esforça para avançar moralmente. O homem do século 21 percebeu que somente a inteligência não foi capaz de oferecer-lhe alternativas de paz e saúde, e, com isso, o tema moral da hora é inteligência emocional.

O analfabetismo afetivo é muito maior que o intelectual, sendo necessário um movimento de alfabetização emocional para a Humanidade. Trata-se de um processo educacional que nos coloca em contato com a parte que menos conhecemos de nós mesmos, nossa vida interior, o que é indispensável se quisermos investir em educação moral e libertação humana.

Assim como a sociedade, as nossas organizações espíritas também precisam se preparar melhor para este momento. Quando falo em preparo das organizações, não estou falando, necessariamente, sobre temas, mas sobre metodologia. Refiro-me aqui à metodologia que cria diferenciais no aprendizado, os quais estão nos focos dos nossos programas de estudo, que quase sempre são sobre "o que fazer" e não sobre "como fazer".

Se continuarmos adotando os mesmos métodos de sempre, sem atendermos às necessidades de natureza emocional, corremos um risco muito grande de ensinar espiritismo para as pessoas e deixar de buscar o que é mais essencial: a maneira como podemos nos tornar homens de bem e ser felizes. Precisamos *criar novas formas de trabalhar o conhecimento*. Novas modalidades de ação na difusão do conhecimento espírita focado no ser humano e nas suas reais e mais profundas necessidades emocionais.

Estamos muito sozinhos e angustiados e nem sempre conseguimos encontrar no ambiente da casa espírita o que precisamos para nossas necessidades de aprimoramento emocional. Falamos muito pouco ou quase nada sobre os sentimentos, sejam eles nas relações afetivas, nas atividades profissionais ou nas vivências cotidianas, e, dessa forma, adotamos uma postura de valentia e disposição de trabalhar impecáveis, permanecendo, muitas vezes, arrasados por dentro nas nossas angústias e incertezas.

Necessitamos compartilhar e aprender, pois essas atitudes são propostas da regeneração, sem as quais não há crescimento real.

Para que essas propostas façam parte das nossas organizações, serão necessárias alterações nos métodos, principalmente no que tange à criação de novos espaços para a comunicação dialogal franca e espontânea, que aborde os sentimentos com o intercâmbio de experiências visando sempre à parceria que fortalece e ilumina.

Nessa metodologia não há lugar para a admiração exagerada ou para o excessivo valor que é conferido a médiuns, dirigentes e seus cargos, folhas de serviços ou bagagem intelectual sobre espiritismo. É um espaço para construir conceitos e desconstruir padrões à luz dos valores e das necessidades individuais. O objetivo, com o uso dessa metodologia, é criar um espaço, uma situação, em que possamos falar de nós mesmos em clima de confiança e melhoria moral. Nesse aspecto, lembramos as palavras de Tiago, em sua quinta epístola, versículo dezesseis, que nos diz: *"Confessai as vossas culpas uns aos outros e orai uns pelos outros, para que sareis."*

Temos de rever nossa postura como líderes, dirigentes, médiuns, palestrantes, colaboradores e frequentadores. Por estarmos em falta com a prática pessoal de compartilhamento de nossas experiências, nossa comunidade espírita ainda não está aderindo à essa mentalidade tanto quanto necessita e seria desejável.

Quem já tem experimentado posturas novas sabe dos benefícios de poder dialogar e não querer ter a última palavra, sabe como é boa a experiência de abrir mão da superficialidade dos rótulos e apenas ser gente. Gente com responsabilidade e autenticidade, gente que rompe com padrões para celebrar sua autenticidade luminosa.

Se continuarmos entendendo espiritismo na vida e nos fatos e não conectá-lo à nossa vida emocional, arriscamo-nos a adoecer como os antigos Fariseus dos tempos de Jesus, tendo muito conhecimento e pouca prática, muita soberba nos pensamentos e o coração vazio de paz verdadeira. Será que vale a pena ser espírita assim?

A série "Harmonia Interior", da autora espiritual Ermance Dufaux, alcança com este livro o encerramento do ciclo de obras que nos tem trazido orientações e subsídios para serem usados de forma prática nesse preparo emocional, inaugurando um novo tempo.

Ermance nos marcou com sua série, auxiliando nosso entendimento sobre esse "como": como fazer, como viver, como comportar, como entender, como examinar.

Sua literatura nos trouxe alívio e motivação para sermos espíritas com profundo amor e respeito às nossas amplas imperfeições. Sua linguagem direta, fraterna e de fácil compreensão é, por si só, uma metodologia de ensino espírita atualizada e apropriada aos espíritos que estão renascendo no planeta. Cada obra é um botão de rosa perfumado, e a série "Harmonia Interior" constitui-se um buquê que inspira ternura, docilidade, afeto e luz espiritual.

Sempre rica de bondade e acolhedora, ela nos faz renascer e ter a certeza do quanto seus ensinos são medicações precisas para nossas necessidades espirituais, sempre despertando o melhor que existe em cada um. Uma educadora iluminada e amorosa.

Sou imensamente grato a essa querida benfeitora por me aceitar para o trabalho mediúnico.

Que Jesus nos permita caminhar um tanto mais.

Wanderley Oliveira, julho de 2013.

Emoções híbridas

"A fim de avançar para a meta, tem a criatura que vencer os instintos, em proveito dos sentimentos, isto é, que aperfeiçoar estes últimos, sufocando os germes latentes da matéria. Os instintos são a germinação e os embriões do sentimento; trazem consigo o progresso, como a glande encerra em si o carvalho, e os seres menos adiantados são os que, emergindo pouco a pouco de suas crisálidas, se conservam escravizados aos instintos."

Lázaro (Paris, 1862).

O evangelho segundo o espiritismo, capítulo 11, item 8.

Toda emoção dentro de nós significa algo a nosso respeito e tem uma função sagrada e reveladora.

A ausência de habilidades emocionais para lidar com nossas emoções é a causa principal das nossas dores, pois, sem uma leitura precisa do que significa e para que serve cada uma delas, agimos e falamos em desacordo com aquilo que sentimos. Nossas atitudes e palavras têm um impacto profundo nas relações e nos contextos, trazendo de volta ao mundo emotivo os resultados de nossas ações benéficas ou prejudiciais, libertadoras ou escravizantes.

As emoções primárias como o medo, a tristeza, a alegria, o amor e a raiva, são os fios condutores da nossa evolução espiritual. Elas são instintivas e cumprem funções nobres na arquitetura da vida mental. Todavia, a aquisição da experiência intelectiva no transcorrer das múltiplas reencarnações criou padrões estruturais de conduta alicerçados no egoísmo, que transformaram as emoções primárias em tumultuadas variantes emocionais. Constelações de sentimentos e emoções passaram a gravitar no universo interior e profundo da alma como expressões dessa mutação na forma de sentir e perceber o que se passa no reino do coração. Estas são as emoções híbridas.

Como assevera Lázaro: "Os instintos são a germinação e os embriões do sentimento; trazem consigo o progresso, como a glande encerra em si o carvalho, [...]".

Hoje, os instintos embrionários ramificaram-se no solo dos sentimentos florescendo uma plantação que solicita cuidados e atenção do lavrador para que ele saiba separar em seu canteiro interior aquilo que é praga daquilo que é fruto curativo e libertador, aquilo que é tóxico daquilo que cura. E, além de separar, deve aprender a reciclar e a dar destino saudável às emoções que curam.

Assim como na natureza, na ecologia emocional existe o tóxico e o reciclável, sementes boas e sementes impróprias para germinação de frutos saudáveis.

Façamos uma pequena e despretensiosa lista de algumas formas híbridas das emoções primárias e examinemos suas funções divinas em nós, objetivando cooperar com nossa alfabetização afetiva.

Azedume – O azedume é como uma reação alérgica indicando que algo não está nos fazendo bem. É um indício de que está havendo repetição de comportamentos nocivos à nossa paz e, portanto, uma indicação de que necessitamos alterar algo em nossa conduta.

Possivelmente, trata-se de uma velha forma de reagir a determinadas situações ou talvez uma insatisfação crônica com alguma pessoa ou com acontecimentos repetitivos, podendo também ser um sintoma de frustração.

O azedume é como uma pane interior gerando sobrecarga; é o estresse com algo que necessita de maior atenção na elaboração de soluções mais inteligentes que apresentem melhores resultados.

Examine o que o azedume quer lhe dizer. Pergunte: para que eu me encontro nesse estado? A respeito de que é essa minha irritação ou mau humor? O que necessito enxergar e que nova atitude eu necessito desenvolver neste contexto?

O azedume é um híbrido da raiva.

Angústia – A angústia é a emoção da morte, podendo ser a morte de desejos, de projetos, de ideais, da alegria e do prazer.

Ela é muito presente quando nos abandonamos para cuidar de outras pessoas ou por pura acomodação.

A angústia é um sintoma de que algo está desorganizado dentro de nós há muito tempo, é um pedido de reavaliação a respeito do caminho que estamos seguindo na vida ou sobre como estamos vivendo.

Ela quase sempre vem acompanhada da solidão para deixar claro que será urgente uma aproximação de nós mesmos, pois solidão é estar longe de si mesmo.

A angústia é um híbrido da tristeza.

Insegurança – A insegurança é desencadeada pela percepção de nós mesmos como seres vulneráveis, com acentuada sensação de desamparo. Sua função é mostrar que estamos nos apoiando em crenças que não nos ajudam a despertar os talentos adormecidos em nós. É um sintoma de que estamos precisando fortalecer nossa autoestima e enfrentar o que tememos.

A insegurança é um estado híbrido do medo.

Vaidade – A vaidade é um indicador emocional de que estamos necessitando avaliar uma carência que é sempre evidenciada por meio da relação humana. A vaidade aparece quando nos sentimos menores, sem valor, em falta, ou seja, ela vem para suprir o que faltou e só aparece onde há escassez.

Ela é também um sentimento fundamental para nossa paz, já que sem ela não saberemos localizar muitos aspectos sutis das nossas necessidades. Sem vaidade não nos cuidaríamos, não sentiríamos falta da alegria e de fazer algo por nós mesmos.

Aprendemos muitas coisas de forma inadequada a respeito de nossos sentimentos. Sem vaidade ninguém constrói uma estima pessoal sólida, que é o pilar do autoamor. Quem tenta sufocar sua vaidade cria um campo energético para doenças orgânicas, como dores musculares, constantes infecções e um severo mau humor. No entanto, se somos dominados inadequadamente por ela, usamo-la como mecanismo de defesa contra a sensação de inferioridade, de ausência de valor e poder pessoal.

A vaidade orientada para a preservação da autovalorização é uma fonte do bem que estamos desenvolvendo à luz de nossos esforços de espiritualização. Vaidade é também o prazer diante daquilo que somos ou realizamos. Quando focada na vida de relações, é a busca do prazer do reconhecimento, do aplauso e da admiração alheia. Quando focada na vida interior, é a energia que nos garante alegria e satisfação com nossas realizações, e quem cultiva alegria alcança melhor desempenho e leveza perante a vida, as coisas fluem. Energeticamente, a alegria é a emoção que lubrifica o cosmo sutil da aura.

A vaidade é um híbrido da alegria.

Insatisfação – A insatisfação é indicador de que estamos precisando tomar consciência sobre o que queremos e o que não queremos da nossa existência.

Quando persiste, a insatisfação é porque não conseguimos viver **o que** e **como** necessitamos e deixamos outras demandas tomarem o lugar do que queremos, ignorando as carências mais profundas do nosso ser. Essa emoção é o oposto da felicidade e estabelece profundo estado de desamor, sendo um sintoma muito importante de que nosso desejo está ativo e procurando novas expressões de amor e de nossa individualidade.

Parece um contrassenso, mas pessoas insatisfeitas estão movidas pelo princípio do amor. É um alerta da alma que está vinculado à faixa instintiva dessa emoção, querendo dizer: "não está bom desse jeito", "é preciso mudar e avançar.".

A insatisfação é uma emoção híbrida do amor.

****

Em nosso plano de ação no Hospital Esperança, constatamos que giram em torno de 88 os sentimentos mais conhecidos do homem na matéria, incluindo as emoções híbridas. Entretanto, ao desencarnarmos, tomamos contato com pelo menos mais vinte novas experiências emocionais nas faixas vibratórias mais próximas ao ambiente da Terra, causando-nos perturbação, indefinição e dor.

Mesmo sendo 88 os sentimentos mais conhecidos, o nível de inteligência emocional aponta para algo em torno de 12 a 18 sentimentos mais perceptíveis e comuns a quem guarda um bom grau de consciência emocional. Entretanto, a média, para a maioria dos habitantes do planeta, não passa de 9 sentimentos mais conhecidos e identificáveis.

Essas informações, que fazem parte de levantamentos de nossos institutos de educação no hospital, são fortes apelos para o trabalho urgente de orientação, com foco na educação emocional do espírito eterno, especialmente aos que se guiam pelos princípios imortalistas da doutrina espírita.

Faz-se urgente a elaboração de uma campanha para aquisição da alfabetização afetiva e do desenvolvimento de habilidades que permitam identificar e usar as emoções básicas e as híbridas como seguras trilhas emocionais para o autoconhecimento e a autotransformação.

Retomando as reflexões de Lázaro:

> "A fim de avançar para a meta, tem a criatura que vencer os instintos, em proveito dos sentimentos, isto é, que aperfeiçoar estes últimos, sufocando os germes latentes da matéria."

Essa campanha é um convite para subirmos um degrau na escada da evolução, sair do instinto primário e avançar na direção da consciência lúcida. Sair das emoções híbridas e transformá-las em emoções que curam, pois não existem emoções sem finalidades curativas quando a alma está desperta para o patrimônio de luz que pode emergir de suas sombras.

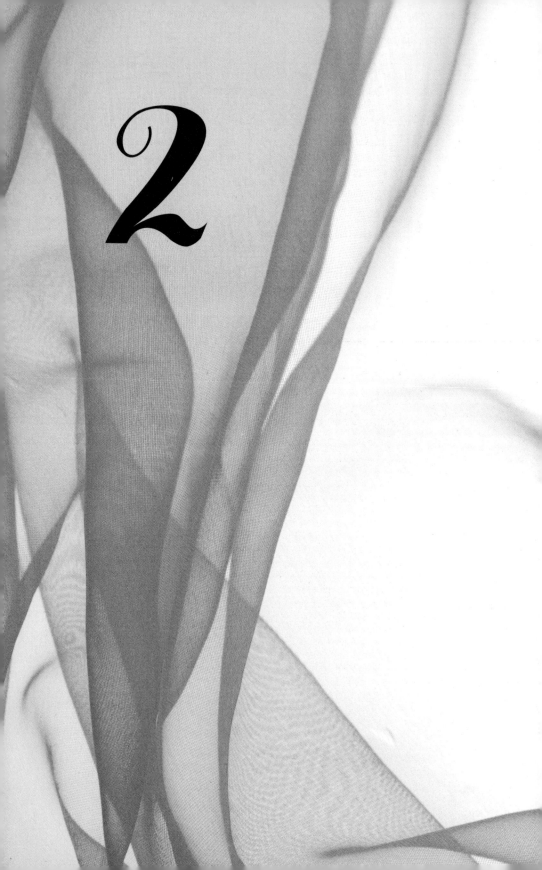

A presença do sombrio nas relações afetivas

"Podem dois seres, que se conheceram e estimaram, encontrar-se noutra existência corporal e reconhecer-se?

Reconhecer-se, não. Podem, porém, sentir-se atraídos um para o outro. E, frequentemente, diversa não é a causa de íntimas ligações fundadas em sincera afeição. Um do outro dois seres se aproximam devido a circunstâncias aparentemente fortuitas, mas que na realidade resultam da atração de dois Espíritos, que se buscam reciprocamente por entre a multidão."

O livro dos espíritos, questão 386.

As atividades noturnas do centro espírita Servidores da Luz haviam iniciado pontualmente às vinte horas. Após a oração preparatória, a equipe de médiuns deslocou-se para as cabines de atendimento em pequeno salão reservado. Macas limpas e bem dispostas, além de material asséptico, estavam disponíveis para cada grupo de médiuns e atendentes.

Em uma das cabines, o médium Antonino, sob orientação mediúnica de dona Maria Modesto Cravo, começou a tarefa. Entrou um casal. Um homem com seus 45 anos e uma mulher com seus 35. Dona Modesta, já incorporada no medianeiro, os cumprimentou:

— Que Deus os abençoe, meus filhos!

— Assim seja, dona Modesta! – respondeu o homem.

— O que os traz nessa casa, meus filhos?

— Dona Modesta, meu nome é Eduardo e essa é Ana Elisa, minha esposa.

Vivemos um momento muito difícil no casamento. Para ser franco, estamos aqui como última alternativa para ouvi-la, e saber se pode nos ajudar a vencer essa prova.

— O que se passa entre vocês, meus filhos? – indagou dona Modesta com acolhimento.

— Ana Elisa não acredita nos assuntos do espiritismo. Ela veio aqui a meu pedido e a contragosto, então vou explicar para a senhora. No centro que frequento, depois de alguns momentos de conflito em meu casamento, solicitei uma mensagem mediúnica. O mentor foi claro e me informou que tenho um carma com Ana Elisa. A partir de então, esclarecido como fui, passei para ela as noções sobre esse assunto e procurei alertá-la a respeito dos motivos que geram nossos conflitos.

Ana é uma executiva, trabalha muito, temos um nível de vida financeira muito alto, por conta do meu trabalho e do dela, mas não precisamos de tanto. Tentei focar com ela a importância da vida simples, propus que ela largasse seu ofício e passássemos a ter outro tipo de vida. Ela não precisa se preocupar com o lado material, que para mim seria fácil garantir. No entanto, a resistência dela a ter filhos, a cuidar do lar e a abrir mão de uma vida materialista está praticamente impedindo qualquer mudança. Depois da mensagem mediúnica recebida há quase um ano, passei a ser mais rigoroso com esse compromisso de orientá-la espiritualmente, mas parece que ela é mais difícil do que eu supunha.

— Entendo. Então o senhor está querendo salvá-la, é isso?

— Eu não diria salvá-la. Apenas dar um impulso na reencarnação dela que está muito focada na vida material. Eu peço sua ajuda, dona Modesta. Fale algo para minha esposa. Pode ser sincera conosco.

— Claro meu irmão. Nem precisa pedir. Serei bem sincera. Como o senhor acha que vai dar esse impulso na reencarnação dela?

— Levando-a para o espiritismo e enquadrando-a nas atividades.

— E ela quer isso?

— Infelizmente não, dona Modesta. Ela ainda não abriu os olhos para a espiritualidade. Teima em manter-se cega.

— E o senhor já abriu os seus próprios olhos para a espiritualidade?

— Sim, graças a Deus, dona Modesta! A senhora concorda comigo que se ela viesse para a doutrina nossos conflitos terminariam?

— O espiritismo está sendo mesmo bom para o senhor?

— Demais. É minha vida, meu alimento, meu eixo.

— Então o senhor está seguindo os ensinos espíritas?

— Com toda minha devoção e esforço.

— E acha mesmo que melhorou ou que tem melhorado?

— Muito. Dona Modesta, estou me tornando outra pessoa.

— Como?

— Hoje colaboro nas visitações a hospitais, dou minha contribuição ao asilo, tomo passes que me acalmam, leio muitos livros e participo de três reuniões de estudo.

— Não é dessa melhora que estou falando. Isso, em verdade, não é melhora.

— Não?

— Isso é exercício, tarefa de aprimoramento que, necessariamente, não significa medida de melhora pessoal.

— Se isso não é melhora, não sei então do que a senhora está falando.

— A melhor forma de aferir nossa melhora pessoal, meu filho, é verificar como andam nossas relações com as pessoas de nossa convivência, especialmente com as pessoas que amamos. Que tal ouvir aqui a sua esposa a respeito disso?

— Ah, dona Modesta! Ana Elisa não acredita em minha melhora, com certeza!

A mulher, que estava calada até então, não se conteve e disse:

— Dona Modesta, para ser sincera com a senhora, nem sei se acredito que há aqui na minha frente um espírito falando comigo, mas sua linha de raciocínio me agrada. Obrigada por querer me ouvir, porque meu marido, infelizmente, não tem se permitido fazê-lo. Ele parece ter se fanatizado após essa bendita mensagem do além. Nem sei mais quem ele é nesses últimos meses. Tudo é espiritismo, desapego, humildade, estudo, tarefa. E eu, que segundo ele sou o problema por tanto trabalhar, estou mais em casa à espera dele do que ele. Ele espera muito de mim e nada tem dado ao nosso casamento. Parece-me que ele acredita tanto nessa mensagem, que eu tenho dúvidas sobre o que ele sente por mim. Ele hoje está ao meu lado porque tem um carma comigo, enquanto eu estou ao lado dele porque tenho amor para com ele.

Amor que está adoecendo, se acabando. Está ficando difícil, dona Modesta, e para ser mais honesta, impossível. A última coisa que eu quero na vida é um salvador. Eu quero meu marido de volta. Ele me trouxe até aqui dizendo que ao ouvi-la eu me convenceria de tudo que ele diz. Ou eu estou louca ou nem sei o que é, mas cada vez que ouço suas palavras tenho a sensação de que senhora o coloca para um exame de consciência e ele foge disso. Estou louca, dona Modesta? Como acreditar na melhora dele? Quem é o louco nesse casal?

— Não, minha filha, você não está louca. Sua fala é curativa e libertadora. Se seu marido lhe trouxe aqui para que eu a convencesse de algo, ele está equivocado. Não tenho a menor pretensão em tornar alguém espírita. Minha missão é colocar a consciência ao encontro da verdade. O que você me diz disso, Eduardo?

— Acho que minha esposa não está bem mesmo. Suspeito de uma obsessão, para chegar ao ponto de dirigir à senhora dessa forma. Ela buscou a terapia recentemente e piorou ainda mais, porque agora parece cada dia mais distante de mim.

— E tenho alternativa, Eduardo? Se eu me aproximar de você nas condições em que se encontra, eu me afasto de mim mesma para fazer suas vontades. Eu desisto de mim mesma.

— Então você prefere me abandonar? Você não enxerga mesmo. A senhora está vendo, dona Modesta? Olha isso que ela disse! É a prova que eu precisava para mostrar à senhora como estou certo. Que esposa diria uma coisa dessa, dona Modesta? Seja sincera!

— Eu serei, Eduardo. A esposa que diria uma coisa dessas é uma esposa que tem autoestima e que se ama, antes do amor que possa dar a qualquer pessoa. De uma pessoa que se ilumina com tão autêntico amor a si própria só pode irradiar o amor legítimo em favor de quem a rodeia.

— A senhora me desculpe, para mim isso é egoísmo.

— Não, Eduardo. Você se ilude profundamente nos seus conceitos. Egoísmo é quando não estamos bem com nossa vida e adoramos transformar os outros para nos sentir melhor conosco mesmos. Egoísmo, meu filho, é o que você está fazendo com seu casamento. Você está mais interessado em salvar sua mulher do que em amá-la. Mais interessado em mudá-la do que em examinar seu próprio egoísmo.

— E existe uma prova de amor maior que querer salvar quem amamos?

— Não salvamos ninguém, Eduardo. Você foi enganado. Que espécie de mentor espiritual é esse que dita uma mensagem para incendiar a mente com o combustível da ilusão? A única pessoa nesse mundo que podemos salvar é a nós mesmos e, nem isso, muitas vezes, temos dado conta, e ainda queremos salvar os outros. Exigir dos outros é mais cômodo. Não somos responsáveis por ninguém, meu filho, a não ser por nós próprios. Com as pessoas que amamos temos responsabilidades, o que é bem diferente de ser responsável.

— Dona Modesta, eu jamais quero questionar um espírito de luz como a senhora, mas, me perdoe, preciso então que a senhora me explique por que eu receberia uma mensagem dessas.

— Para testar seu bom senso em relação às obsessões camufladas que nos cercam em supostas mensagens de guias.

— A senhora está brincando! Vinda pelo médium que veio? – falou com ironia.

— Qual médium está isento, meu filho, de alguma interferência obsessiva? Existem alguns conceitos na cultura espírita, na forma de interpretar o espiritismo, que se tornaram nocivos relativamente ao comportamento e ao entendimento humano. Essas questões do carma e da obsessão, são alguns desses conceitos que foram profundamente deturpados por uma herança religiosa descaridosa e carregada de culpa.

Carma não é com o outro. O resgate não é com o outro, e sim com o que ficou dentro da gente em função do que fizemos ao outro. São os registros de lesão que precisam ser mudados. O sofrimento da presença do outro em nova reencarnação apenas ativa dentro de nós o que ficou armazenado em nosso íntimo. Nós não mudamos ninguém. Somos apenas portadores de oportunidades aos outros. O que eles vão fazer com isso é com eles. Só mudam ou usam as oportunidades se quiserem ou se optarem por valorizá-las. Carma, no sentido de quitação e solução de pendências, é com a gente mesmo, é com nossa consciência.

Em verdade, você, Eduardo, está exigindo de Ana o que quer para você mesmo. Ela está bem na forma como vive. Os excessos que você vê nela estão em você mesmo. Você sim, por conta da visão de vida nova à luz da imortalidade, está precisando de mais meditação, menos impulso possessivo com o dinheiro, maior presença no lar e proximidade afetiva de sua esposa.

O seu sombrio é polarizado na insegurança, no medo, um dos sentimentos mais difíceis de serem enfrentados. Você recrimina em Ana o que mais precisa adquirir, a coragem, a força de se envolver com os bens materiais sem possessividade. Seus impulsos de apego e controle sempre foram desordenados e além de suas forças. O seu sombrio se retrata no luminoso de Ana. Estou certa?

— Mas e a mensagem, dona Modesta?

— Muitas mensagens mediúnicas deveriam ser esquecidas por respeito aos médiuns. Tenha opinião pessoal, Eduardo. O grande objetivo do espiritismo é nos promover à autonomia das opiniões e da conduta. A doutrina não propõe cegueira, e sim fé ativa, fé robusta. Desligue-se do conteúdo da mensagem e conecte-se com seu sentimento.

— Então, eu venho aqui para a senhora ajudar minha esposa e o que ouço é que eu estou cego?

— Engano seu, eu estou ajudando sua esposa mais do que você imagina, não é mesmo, Ana?

— Dona Modesta, depois dessas suas palavras, estou quase acreditando em espiritismo – respondeu Ana, sorridente e com expressão de alívio.

— Eu devo estar mesmo cego. Ouvir isso de Ana é surpreendente. Como a senhora fez isso, dona Modesta?

— É simples. Estou reforçando o amor que Ana tem a si mesma. Não posso colaborar com ninguém que queira amordaçar essa conquista.

— E eu, com minha atitude, estou fazendo isso.

— Fazendo, não. Está tentando. Todavia, com uma mulher maravilhosa como a que você tem, eu duvido que consiga. Possivelmente você vai perdê-la se continuar tentando.

* * * *

A resposta dada pelos guias espirituais a Allan Kardec à questão 386 de *O livro dos espíritos* é um compêndio de psicologia transpessoal: "Um do outro dois seres se aproximam devido a circunstâncias aparentemente fortuitas, mas que na realidade resultam da atração de dois Espíritos, que se buscam reciprocamente por entre a multidão".

Buscamos energeticamente nas pessoas de nossa convivência o sombrio e o luminoso que estão na nossa própria intimidade. Projetamos, dessa forma, no outro as nossas necessidades e também nossos talentos adormecidos. Nossas relações afetivas são, por isso, laboratórios de revelação de nossas camadas mais profundas da psique.

No outro, nos vemos e nos revelamos. Aquilo que apreciamos no outro pode ser o ponto de equilíbrio para o nosso sombrio, entretanto, por conta do egoísmo e das crenças enraizadas, podemos transformar o remédio em veneno e passar a tentar destruir esse ponto luminoso do outro, repudiando o que mais precisamos para nós.

Por essa razão, o autoconhecimento por meio de uma educação emocional lúcida nos permite um exame mais consciente do que é nosso no outro e o que é do outro em nós.

Os estudos psicológicos no mundo dos espíritos à luz do espírito imortal deixam claras quais são as três ilusões mais presentes no processo de integração entre o luminoso e o sombrio dentro de nós e que costumam transformar o nosso amor em sofrimento.

A primeira ilusão é acreditar que nosso amor é capaz de modificar quem nós amamos. Não modificamos ninguém e ninguém é capaz de nos modificar se não houver identificação de propósitos e decisão pessoal de mudança. Só mesmo a prepotência pode advogar a ideia de transformação contra a vontade de alguém e intoxicar o amor com raiva e amargura. É essa prepotência que gera a insanidade de acreditar que podemos salvar até quem não quer ser salvo, levando pais, mães, maridos, esposas e famílias inteiras à dor da culpa e da impotência. O nosso amor não será suficiente para resolver problemas que o outro tem de resolver, e isso somente se ele quiser. O que de fato realiza as mudanças verdadeiras chama-se responsabilidade pessoal.

A segunda ilusão é acreditar que somos responsáveis pelas escolhas de quem amamos. Quando amamos legitimamente, reforçamos os aspectos saudáveis de quem amamos e não ficamos tentando controlar a vida deles para que não adotem condutas destrutivas. Quando nos sentimos responsáveis pelas escolhas alheias, dispostos a fazer todo sacrifício, como se isso fosse amor, abandonamo-nos e tiramos nossas forças, nossa motivação e nossa lucidez. Em uma relação de amor legítima não há autoabandono. Quando isso ocorre, existe sacrifício, e o sacrifício traz a mágoa, as expectativas e as cobranças. Dor na relação é indício de que há necessidade de um aprendizado da parte de quem sofre. Quando você impede alguém de fazer escolhas, ele não aprende e ainda interpreta isso como uma mensagem subjetiva de que não acreditamos em sua competência. O aprendizado só será feito quando o outro tiver autorresponsabilidade.

A terceira ilusão é acreditar que amar é creditar à pessoa amada uma importância maior do que a nós próprios. É uma atitude de autoabandono que é a origem da depressão. A lei da natureza nos prepara para a autossuficiência, e, mesmo havendo a lei de sociedade na qual nos amparamos mutuamente e cooperamos uns com os outros, fomos dotados de recursos autoimunizadores para sobreviver independentemente do amor alheio. Se colocamos alguém como a pessoa mais importante da nossa existência, estamos na contramão da evolução e corremos um enorme risco de nos abandonar para cuidar de quem supomos ser mais importante.

Isso tem muito mais a ver com egoísmo do que com amor. Quando damos importância superlativa ao outro, estamos, em verdade, tentando nos realizar no outro, nos sentimos importantes tentando mudar o outro ou fazer algo de bom ao outro para nos sentirmos com algum valor. Essa é uma atitude nociva e que reflete a baixa autoestima e a educação que muitos de nós recebemos para agradar os outros se quisermos ser amados.

Essas três ilusões sombrias, quando iluminadas pelo ensino de Jesus de amar ao próximo como a ti mesmo, alinham-se com as leis universais de sabedoria e equilíbrio, colocando-nos a caminho da cura pessoal.

Transforme sua raiva em soluções

> *"O orgulho vos induz a julgar-vos mais do que sois; a não suportardes uma comparação que vos possa rebaixar; a vos considerardes, ao contrário, tão acima dos vossos irmãos, quer em espírito, quer em posição social, quer mesmo em vantagens pessoais, que o menor paralelo vos irrita e aborrece. Que sucede então? – Entregai-vos à cólera."*
>
> Um Espírito protetor (Bordéus, 1863).
>
> *O evangelho segundo o espiritismo, capítulo 9, item 9.*

O sentimento ou emoção da raiva é um indício emocional de autoconhecimento muito valoroso. Assim como as demais emoções primárias ou básicas, tais como medo, tristeza, amor e alegria, ela nos conduz a algum tipo de ajuste à vida real. Na história evolutiva, o sentimento da raiva é uma das mais antigas conquistas no patrimônio da alma, cuja finalidade é proteção pessoal. Diante de alguma agressão ou perigo, essa emoção visa à adaptação com intuito defensivo.

A raiva faz parte do grupo das chamadas emoções mobilizadoras, ou seja, aquelas que servem para acionar nosso instinto de conservação perante um perigo real ou que esteja prestes a acontecer. Sua função terapêutica na ecologia da vida emocional é exercitar em nós a criatividade para escolher e adotar atitudes que nos adaptem de forma justa e saudável diante das agressões, desafios ou riscos.

Sua energia, portanto, é uma fonte de criação para ser usada no desenvolvimento de soluções. Entretanto, fazer contato com essa energia e usá-la para seu fim nobre na criação de alternativas inteligentes exige educação e treino. Na ausência dessas habilidades emocionais, podem surgir os acontecimentos trágicos da violência e da agressividade descontrolada.

As emoções primárias são instintivas, fazem parte da natureza humana, mas, ao longo da evolução, devido a sucessivas experiências culturais e comportamentais, criamos diversas formas de reagir a todas elas e desenvolvemos os padrões de comportamento, que são estruturas mentais funcionando por automatismo na vida inconsciente. Por conta desses padrões, nasceram as chamadas emoções reacionais ou secundárias, que criaram mutações complexas em nossa vida afetiva.

Na constelação da raiva, por exemplo, possuímos alguns indicadores marcantes dessa multiplicidade de expressões bastante comuns à maioria das pessoas, quais sejam: desgosto, desânimo, indignação, irritação, insatisfação, solidão, desistência, ódio, vingança, amargura, aversão, antipatia, decepção, desapontamento, desconfiança, hostilidade, ira, mau humor, rancor, rejeição, ressentimento, sufoco, tédio, medo, tristeza, vergonha, depressão, impotência, entre outras. Essas são variações de um mesmo sentimento que adota natureza própria com constituição vibratória peculiar a cada mutação e com influências variadas nos corpos espiritual e físico.

Há quem diga que não sente raiva, mas, ao analisarmos esse vasto espectro de sentimentos e condutas, fica claro que este é um caso de ausência de consciência emocional, a qual nos permitiria entender as relações entre emoções primárias e suas infinitas variações na órbita da vida emocional. Afinal, não há como viver sem raiva.

Para tornar mais prática e compreensível as nossas anotações sobre esse sentimento, examinemos uma de suas máscaras mais pertinentes no comportamento humano, a mágoa.

A raiva é uma emoção, e a mágoa, por sua vez, brota de uma forma inadequada de lidar com aquele acontecimento ofensivo e recebe a qualificação de estado porque perdura no tempo. Aliás, esta talvez seja uma das variações emocionais com maior capacidade de persistir no tempo.

Esse estado de mágoa passa a gerenciar vários padrões de pensamento e comportamento que nos sufocam a níveis emocionais tão severos que podem se transformar em ódio, vingança e tragédia.

Quem se faz de vítima diante da mágoa usa sua raiva contra o outro tentando ignorar sua parcela de responsabilidade para que o fato lesivo ocorresse. Mágoa, todavia, é um contrato bilateral das relações humanas, ou seja, ela não existe sem que haja um ofensor e um ofendido, sem alguém que faça algo para que o outro se sinta lesado mesmo que não tenha havido essa intenção. No entanto, lesar ou ser lesado depende muito das formas de construir a relação e do entendimento de cada qual nesse processo.

Não importa em que situação estejamos, se houve mágoa, encontramo-nos diante de um alerta da vida emocional dizendo: "Sua autenticidade está sendo ameaçada, sua vida está precisando de proteção, você está esperando da vida ou das pessoas o que elas não podem ou querem dar a você.". É o alerta da raiva propondo proteção.

Cientes de que a mágoa pertence à órbita da raiva, cuja função é acionar soluções para nos proteger, as perguntas seriam:

O que a mágoa sufoca em mim?

Que lesão essa mágoa causou em mim para que eu me sinta ofendido?

Até onde fui responsável pela existência desse sentimento?

Que alternativas na conduta posso adotar para evitar a natureza das lesões que me magoaram?

Com as respostas a essas perguntas, podemos encontrar caminhos criativos de saída para a raiva, porque ela será direcionada para desenvolver um processo interior de criatividade a respeito do acontecido e formular ações eficientes e protetivas. Por outro lado, ao nos abstrairmos desse uso terapêutico e libertador, encarceramo-nos no calabouço da ofensa e sofremos a tortura da dor do ressentimento.

Para que perguntas dessa natureza funcionem, basta pensar em algum episódio do relacionamento recente, em como ele aconteceu e em como nos sentimos feridos, e iniciar essa investigação corajosa focada em nós, e não no ofensor, formulando as perguntas anteriormente indicadas e outras que possam nos ajudar a decifrar a finalidade defensiva daquela dor.

Uma das razões mais presentes para camuflarmos a raiva em nossa conduta é a necessidade de passarmos aos outros uma imagem de que estamos no controle, de que somos fortes o suficiente para suportar aquela ferida e de que nada nos atinge. É assim que, além da dor interior, ainda nos impomos uma força que não possuímos para sustentar uma imagem falsa de nós mesmos. Isso aumenta ainda mais o ciclo de raiva e sofrimento, porque o ressentimento não é outra coisa senão a lesão que nós imputamos a nós mesmos por não sabermos lidar bem com a lesão que o outro deixou em nós.

Podemos concluir, depois desse exame singelo sobre a mágoa, que a raiva mal orientada, por certo, é um dos sentimentos que mais nos afasta de nós mesmos, de nossa autenticidade, de nossa real condição interior, e nos fragiliza e agride em contextos que não estamos nos dispondo a avaliar. Não será exagero afirmar que, quando a raiva se apodera de nosso coração em relação a alguém, existe uma enorme chance de estarmos decepcionados é com nós mesmos, e isso é bem mais difícil e desconfortável de examinar, considerando que o padrão mental do orgulho é um dos gestores mais habituais da mágoa.

"O orgulho vos induz a julgar-vos mais do que sois; a não suportardes uma comparação que vos possa rebaixar; a vos considerardes, ao contrário, tão acima dos vossos irmãos, quer em espírito, quer em posição social, quer mesmo em vantagens pessoais, que o menor paralelo vos irrita e aborrece. Que sucede então? – Entregai-vos à cólera."

Como é raro admitir em nós a existência daquilo que dizem sobre nós ou ter a coragem de saber usar com habilidade a raiva diante dos golpes da vida, para encontrar caminhos inteligentes que nos coloquem em condições de crescer e avançar!

As hostilidades da vida que nos causam tanta dor e descontrole são como um buril que visa a lapidar nossas arestas, transformando-nos em diamantes ricos de beleza, que possam refletir a luz celeste do bem e do amor. Tudo depende de como nos comportamos diante das lapidações que a vida nos apresenta.

Palavras de uma mãe sobre a culpa

"Quando os pais hão feito tudo o que devem pelo adiantamento moral de seus filhos, se não alcançam êxito, não têm de que se inculpar a si mesmos e podem conservar tranquila a consciência. À amargura muito natural que então lhes advém da improdutividade de seus esforços, Deus reserva grande e imensa consolação, na certeza de que se trata apenas de um retardamento, que concedido lhes será concluir noutra existência a obra agora começada e que um dia o filho ingrato os recompensará com seu amor."

Santo Agostinho (Paris, 1862).

O evangelho segundo o espiritismo, capítulo 14, item 9.

No Hospital Esperança, mais uma manhã de bênçãos e trabalho nos esperava a colaboração. Era dia dos grupos terapêuticos se reunirem, sendo a tarefa marcada para nove horas e reservada para mais de 400 mulheres que foram mães no mundo físico, todas ainda em processo de adaptação e recuperação.

Diversos grupos com funções educativas e libertadoras se organizavam sob os cuidados de dona Modesta. Oficinas do sentimento, tribuna da humildade[1], grupos de reencontro, palestras e vivências de terapia ocupacional foram distribuídas em equipes de vinte a setenta pessoas, conforme o tratamento que cada uma delas estava realizando.

Naquela manhã, todas as salas educativas no primeiro andar foram ocupadas.

---

1 Nota da editora: No livro *Lírios de esperança*, a autora espiritual Ermance Dufaux oferece informações mais detalhadas sobre essa tarefa educativa.

Fomos acompanhar dona Modesta e o professor Cícero Pereira, que supervisionavam a tribuna da humildade. Era o maior grupo naquela ocasião, com cem aprendizes que ouviriam o testemunho.

A tribuna da humildade é o lugar para se abrir o coração. A pessoa que ocupa a tribuna para falar de si já havia sido previamente selecionada por terapeutas cuidadosos que acompanhavam os casos. Mesmo aquelas mães que ouviriam a palavra naquela oportunidade obedeciam a uma sequência de tratamentos especializados até chegarem ali para mais uma etapa de benefícios, conforme os atendimentos recuperativos que vinham recebendo.

Essas mães traziam um semblante sofrido. A dor da separação de suas famílias adicionada à forma repressora com que viveram a maternidade as havia entregado aos braços da depressão. Todas desencarnaram entre 1990 e 2010.

Depois que todas as mães estavam devidamente acomodadas, dona Modesta explicou a importância da tarefa, fez a oração e passou a palavra à mãe que faria o depoimento.

Uma mulher franzina, trazendo um largo sorriso no rosto, iniciou sua fala:

— Amigas e irmãs do coração, que Deus nos guarde a todos em sua misericórdia. Meu nome é Bernadete. Não sou acostumada a falar, mas estava ansiosa por estar aqui e poder dizer algo a vocês.

Já estive assentada onde vocês estão há alguns anos, quando aqui cheguei. Lembro até hoje, com nitidez, a importância que teve para mim o depoimento de outras mães aqui na tribuna da humildade. Foi um divisor de águas.

Quero deixar claro que não falo com nenhuma autoridade e nem vim ensinar nada a ninguém. Só estou aqui porque dona Modesta me convenceu de que o que aprendi pode ser útil a outras mães. Atendendo ao pedido dela – e olhou para dona Modesta assentada na primeira fila de cadeiras –, espero poder ser útil, conquanto reconheça que o que vou dizer foi libertador para minha alma.

Desencarnei em 1999, com quase 60 anos. Essa geração pós-guerra desenvolveu um costume nocivo, até certo ponto fruto de uma herança de gerações, porque eu não conheci uma mãe sem culpa, uma mãe que se achasse boa o bastante para desempenhar sua missão. Culpa por fazer, culpa por deixar de fazer, culpa por pensar em fazer.

Além da herança cultural, o modelo social projetou a mulher a novas e inesperadas formas de participação, criando conflitos íntimos severos entre trabalho, maternidade e família.

A maioria de nós aqui presente pertence a uma geração cujo estandarte foi "ser mãe é padecer no paraíso", uma concepção lamentável que gerou e sustentou muitas crenças enfermiças.

Sei que muitas de vocês estão aqui e gostariam de ainda estar ao lado de seus filhos. Eu também experimentei essa dor. Muitas aqui, assim como eu, fizeram o seu melhor enquanto estavam no corpo físico na condição de mães e, no entanto, depois do desencarne, sofreram uma terrível sensação de fracasso. Sei também que muitas já se sentiam assim enquanto estavam na vida corporal.

Parece uma sina as mães se sentirem culpadas... parece um carma. Entretanto, todo esse processo da nossa geração pós-guerra é muito mais uma questão educacional e em nada identificada com a missão luminosa da maternidade.

Eu tive que rever conceitos aqui no hospital. Foi uma verdadeira cirurgia na mente e no coração. Fui educada por meus pais e familiares para ser perfeita e nunca me achei boa o suficiente. Tive dois lindos filhos e adotei a renúncia e doação por amor como compromissos essenciais para educá-los. Fiz planos de uma família unida e harmonizada juntamente com o marido, um homem exemplar. Ambos espíritas, desde cedo orientamos nossos filhos pelas práticas doutrinárias. Idealizamos nossos filhos como tarefeiros comprometidos e servidores do bem na casa espírita.

Veio, porém, a juventude, e eles queriam suas escolhas. Seguiram o caminho dos estudos, da ciência e do bem. Viveram uma mocidade distante dos ideais que eu e o pai lhes havíamos projetado. Foi difícil aceitar, porque eles não só adquiriram hábitos estranhos à nossa mentalidade, como também se distanciaram do afeto do lar. Para mim, isso se tornou um problema, pois é como se eles tivessem se transformado em oponentes. A distância afetiva me machucava, porque a interpretava como desamor e, o pior, sentia-me responsável pelo que estava acontecendo. Culpava-me e perguntava-me sempre onde foi a minha falha.

Foi então que surgiram os conflitos, porque, no desespero de mãe zelosa, transformei-me em uma cobradora implacável, cansando meus filhos com advertências e enfrentamentos inoportunos que substituíram o lugar do diálogo. Exigi tanto, que eles não suportaram e abandonaram o lar para estudar longe de nossa cidade. Com esforço e a contragosto, eu e meu marido financiamos os recursos e eles foram trabalhar para se sustentar.

O lar depois disso parecia para mim um ninho vazio. Contando assim, superficialmente, ninguém imagina quantos dias de angústia e dor no peito eu sofri, porque os filhos queriam asas próprias e eu as queria podar. Na verdade, dos quinze aos dezenove anos de ambos os filhos, foram noites e dias de sofreguidão.

Onde foi a minha falha? Perguntava sempre a mim mesma e não encontrava resposta. Não encontrava porque sempre lancei o olhar para o passado, procurando lá na infância dos meus filhos o que teria faltado, o que teria sido de mais ou de menos. Não encontrava resposta.

Em verdade, não havia uma resposta para essa pergunta.

A pergunta coerente só vim a aprender aqui no mundo espiritual. Eu não tinha que olhar para trás. Se havia alguma falha, se havia algo a ser feito, era ali, naquele momento, no momento presente em que eles apresentaram suas particularidades. Mas eu não enxerguei que, em vez de ser uma mãe cobradora, podia ter me comportado também como uma mãe amiga e respeitosa, dialogadora e companheira.

Pouco tempo depois que saíram de casa, eu entrei em profunda depressão. Para ser sincera, já estava deprimida e não sabia. A saída deles apenas me permitiu olhar para isso com mais precisão. Tomei medicações fortíssimas, dei trabalho ao marido, perdi a bênção do sono, da alegria e do prazer. Foram quinze anos de luta íntima e dor e, no final de tudo, como se saísse de um túnel escuro de sofrimento e pavor, eu enxerguei, depois de todos esses anos, que meus filhos apenas amadureceram e se tornaram quem eles tinham que ser. Homens bons e conscientes que davam amostras claras de que o exemplo no lar valeu a pena.

Fiz uma descoberta chocante depois de toda essa depressão: meus filhos não se tornaram o projeto que idealizei para eles, eles se tornaram algo muito melhor do que idealizei para eles, eles se tornaram quem são e quem gostariam de ser. Superaram meus próprios planos de mãe neurótica.

Essa é a grande lição da vida. Ninguém vai ser exatamente como gostaríamos que fosse, e nem a vida vai acontecer exatamente como planejamos que ela aconteça.

Desencarnei me sentindo melhor, mas ainda trazendo na alma estiletes de culpa que teimavam em me ferir. Mesmo tendo tempo de ver com meus olhos a realização de meus filhos, ainda guardava na alma uma pesada sensação de fracasso.

Somente aqui pude tratar essa doença nos grupos terapêuticos. Descobri que minha depressão foi o resultado do meu autoabandono. Senti-me tão responsável pelos filhos, que adoeci, esqueci de mim, do marido, da diversão e até desencantei com as tarefas espíritas.

Por várias vezes acreditei que a desobsessão e as orações seriam os caminhos para transformar meus filhos, enquanto a vida esperava-me com outro tipo de aprendizado: deixar uma mensagem clara aos meus amores de que eu também existia, de que eu também respirava, de que eu também tinha aspirações.

Assumi uma responsabilidade que extrapolava a esfera do limite entregue a mim. É uma velha ilusão que faz a mente pernoitar no conceito de que amar é ser responsável pelas pessoas que amamos. Querendo ser salvadora, abri mão do papel de educadora. Dizendo amar, transformei-me em uma controladora compulsiva. Levantando a bandeira da missão espiritual para com os outros, neguei necessidades básicas de minha própria caminhada de aprimoramento na missão essencial de minha cura interior.

Hoje, colaborando nos serviços de adaptação do hospital junto aos grupos de mães, impressiono-me com o que fazemos de nossa missão. Mães diversas saem do corpo físico sentindo-se fracassadas para, somente aqui, orientadas e tratadas, assimilarem uma nova perspectiva de sua reencarnação e descobrirem que o fracasso só estava nas suas cabeças e que, muitas delas, foram vitoriosas e não sabiam.

Uma percepção perfeccionista da maternidade pode adoecer-nos mentalmente, causando enfermidades que solicitam tratamentos especializados. Eu já precisei desse tratamento no mundo físico e tive que continuar aqui no Hospital Esperança.

Eu sei que muitas de vocês padecem dores ainda maiores do que as que vivi na maternidade e eu quero lhes dizer: perdoem-se. Vocês foram apenas mães, e não Deus.

Todas temos um limite e o que passa disso é prepotência, é querer ser mais do que damos conta ou precisamos.

Por fim, sentimo-nos culpadas por raiva. Raiva de não conseguir controlar, de não atingir nossas metas, por não dar conta, por estar extrapolando todos os nossos limites. Com o tempo, toda essa raiva contra nós se transforma em culpa, cobrança, mal-estar e tristeza.

A raiva existe para nos mostrar que precisamos nos proteger, que temos uma urgência em relação ao bem-estar pessoal. Ela é uma emoção de proteção energética, social e emocional.

Cada filho, como espírito eterno que é, responde por sua caminhada. Libertem-se desse peso.

Agindo como se fôssemos Deus, apenas nos escravizamos à enfermidade do amor prepotente, que nos alucina com a ideia de que temos a obrigação de salvar filhos que não querem ser salvos ou de dirigir a vida de filhos que anseiam eles próprios serem proprietários de seus caminhos.

Mães que se sentem fracassadas à luz da reencarnação porque não atingiram os objetivos que supunham essenciais com os espíritos que renasceram como seus filhos, precisam de ajuda e orientação para entenderem que amar não pode ser confundido com ser responsável pelo bem e pelo mal de quem amamos.

Sem dúvida, uma das crenças mais prejudiciais sobre o amor é a de que somos capazes de mudar as pessoas que amamos ou, mais grave ainda, que respondemos pela escolha de nossos entes amados. Adicionada a essa ilusão, sob a ótica da imortalidade da alma, muitos aprendizes do espiritismo, entre os quais eu me incluo, acreditam que é também um dever conseguir essa renovação das pessoas que a vida nos entrega, seja nas experiências do parentesco ou da afetividade, por uma questão de carma.

O efeito mais lamentável dessa falsa crença é a sensação dilacerante de ser também responsável pela queda moral e espiritual daqueles que amamos quando eles não optam pelo seu reerguimento. Fomos educados para pensar que amar é ser responsável por aquilo que o outro faz ou escolhe e dentro da cultura dos espíritas, infelizmente, isso é reforçado.

Não será exagero dizer que essa forma de pensar e comportar é uma tragédia social no terreno dos relacionamentos, porque muitas dores, tormentos e dissabores ocorrem por conta dessa cruel sensação de falência, que encarcera o ser humano nas mais diversas formas de infelicidade e fantasias de fracasso.

Ser responsável pelo outro é bem diferente de ter responsabilidade com o outro. Perante a eternidade, em verdade, somos responsáveis unicamente por nós mesmos. Em relação ao outro, cabe-nos exercer os deveres cooperativos inspirados na lei de sociedade e amor que promove uma teia de solidariedade, apoio mútuo e motivação de uns para com os outros, mas não a ponto de anular o desejo, a intenção, a escolha e a atitude que a outrem compete para o erguimento de si mesmo.

Podemos, sim, estender a mão, orientar, incentivar, alertar, acompanhar, oferecer tempo, atenção e carinho aos nossos afetos de caminhada, todavia, além disso, quaisquer ações que visem ajudar podem conduzir para a perturbação, para o engano, para a cobrança e para a necessidade egoística de controle, estabelecendo um quadro emocional de dependência e tormenta afetiva.

Amar não é algemar-se a alguém. Amar não significa agradar o tempo todo. Amar é criar laços saudáveis que deixam marcantes motivos para desejar a presença de quem se cativa. Amar é estar presente no coração das pessoas mesmo estando longe.

Quando exigimos excessivamente dos outros, esperando o que eles, na maioria das vezes, não têm condições de atender ou não desejam fazê-lo, certamente estamos tratando a nós mesmos dessa exata forma. Quando também fazemos pelas pessoas que amamos aquilo que elas não nos pediram, a pretexto de agradá-las ou de socorrê-las, poderemos nos enredar, com o tempo, na armadilha da mágoa e do destempero emocional.

Cobranças e expectativas desmedidas são neuroses, doenças psíquicas e comportamentais que oneram nossa vida com climas pesados e tóxicos, criando uma convivência distante da verdadeira amorosidade cristã e refazente.

Amar não significa ter uma varinha de condão capaz de transformar os outros naquilo que gostaríamos que eles fossem, e quem se aventura a essa experiência na escola da vida, quase sempre, abandona a si próprio acreditando que essa atitude de renúncia é uma das expressões mais virtuosas e legítimas do amor. Ao contrário do que se pensa, o amor verdadeiro não deve ser interpretado como a ação de se esforçar ao máximo para facilitar a vida dos que amamos. Pelo contrário, o amor nunca solicitou tanto limite como atualmente.

A ausência de condições para que o amor se expresse em favor da dignidade e do crescimento moral tem feito muitos reféns emocionais, que são aquelas pessoas que vivem da troca de favores, esperando uma resposta do ser amado aos seus esforços para agradar ou salvá-lo, e terminam prisioneiras de seus medos, de suas culpas e de suas supostas derrotas em relação ao que esperavam ou desejavam do ser amado. Os reféns emocionais basicamente se caracterizam por acreditar que nasceram para fazer a felicidade de alguém, que essa é sua missão, seu dever. Entendem que amar é sofrer com a dor das pessoas que amam ou que para ser feliz necessita do amor alheio. Por essas razões, essas pessoas se sentem responsáveis pelo que o outro faz ou é.

O remédio para nós mães perfeccionistas é o autoamor, o cuidado com nós mesmas. Assim como para amar é necessária a educação, também o autoamor é um caminho que nos espera para construção paciente de hábitos de autoacolhimento e ternura, aceitação e bondade.

Espero que minhas palavras se transformem em consolo e motivação para que vocês encontrem forças para o autoperdão.

Para finalizar, eu peço a todas vocês que fiquem de pé para orarmos juntas uma oração, a mim ensinada por dona Modesta, dirigida à nossa mãe santíssima, Maria, a mãe do senhor Jesus.

Maria Santíssima, somos também tuas filhas.

Mãe salvadora de todos, rogai por nós que desejamos sair dos vales da sombra e da amargura de nossas culpas injustas e dilacerantes.

Oh, Santíssima Mãe de Jesus! Ajuda-nos a transformar nosso arrependimento em luz e coragem no caminho.

Coroa-nos o esforço do autoperdão com tua doce e santa misericórdia, com a energia de tua ternura infinita.

Te pedimos refúgio para não nos sentirmos falidas e conseguirmos olhar com compaixão para nossas faltas.

Empresta-nos tua mão delicada para levantarmo-nos dos tropeços da frustração perante nossas exigências descabidas.

Oh, Soberana Senhora! Sabemos que merecemos a felicidade e a prosperidade, mas nos sentimos distantes da condição de filhas amadas pelo Pai de nossas jornadas evolutivas.

Auxilia-nos a tecer com os fios da caridade um manto de proteção que nos faça sentir acolhidas e credoras da bondade celeste.

Concede-nos, em nome de tua pureza, a energia salutar da fé imbatível para nos nutrirmos de amor e merecimento, amizade e farturas do coração.

Em nome de teu poder de amar-nos incondicionalmente, envolva-nos na candura de tua paz e generosidade.

Sob a guarda de tua sabedoria e doçura, Mãe querida, nossa vida terá mais rumo, nossos dias serão mais abundantes, nossa alegria será mais justa e nossa vontade será mais lúcida.

"Disse-lhe, então, o anjo: Maria, não temas, porque achaste graça diante de Deus;"[2]

> *Santíssima Maria de Nazaré, pelas graças que o Pai te confiou, faça-nos também tuas filhas, para que igualmente possamos afirmar: achamos graça diante do amor e da vida.*

Assim seja!

---

2   Lucas 1:30.

Medos indicadores de crenças limitadoras

> *"Veio em seguida o que recebeu apenas um talento e disse: Senhor, sei que és homem severo, que ceifas onde não semeaste e colhes de onde nada puseste; – por isso, como te temia, escondi o teu talento na terra; aqui o tens: restituo o que te pertence."*
>
> O evangelho segundo o espiritismo, capítulo 16, item 6.

Uma longa trajetória na possessividade gerou na nossa mente o reflexo do apego a crenças ilusórias de grandeza e importância pessoal. Em decorrência dessa caminhada milenar, quando nos dispomos a realizar uma transformação moral à luz do espiritismo e do Evangelho do Cristo, deparamo-nos, inevitavelmente, com os efeitos dessa programação mental em forma de hábitos muito enraizados no automatismo dos sentimentos e dos pensamentos.

Sair desse patamar interno de acreditar sermos maior do que realmente somos e ter de assumir nossa verdadeira estatura espiritual pode tornar-se uma travessia de dores e conflitos amargos. Esse desapego de valores que já não nos protegem mais das ameaças de nossa sombra interior solicita cuidados fundamentais e acolhimento amoroso com nossas necessidades de melhoria, a fim de não se instalarem o desgosto e a perturbação.

Crenças são como pilares na vida mental. São vigas que, quando abaladas, podem desequilibrar todo o edifício do pensamento, da vontade e do sentimento. Portanto, quaisquer operações a serem realizadas nesses pilares exigem perícia e orientação terapêutica quando se objetiva o resgate da saúde.

O desapego às nossas convicções pode ser comparado à delicada cirurgia na intimidade da alma e traz como principal consequência o medo. Sobretudo, o medo de perder quem achávamos que éramos, de perder personalidades ilusórias repletas de verdades falsas sobre a vida e sobre o viver. Essa perda faz aflorar a dor angustiosa da indefinição, gerando insegurança, desânimo e mau humor, que podem alcançar o nível de um quadro exaustivo de estresse, ansiedade, pânico e desespero silencioso a caminho da depressão.

Sob uma perspectiva transpessoal, o medo é um excelente indicador de que existe algo a ser descoberto, enfrentado e transformado em nós. É um sentimento mobilizador cuja função no cosmo emocional é proteger e também instigar atitudes diante de pressões ou ameaças.

Sendo o medo uma reação natural e necessária, aquilo que fazemos com ele é que pode se tornar um problema. Quando optamos pela reorientação daquilo que temos como real, há uma perda temporária de referências que nos ofereciam a sensação de segurança e bem-estar, e agora, na formação de outros valores, o medo nos previne contra os mecanismos sutis da leviandade diante da construção de novos princípios e valores que vão gerenciar as novas formas de pensar e viver.

Entre as certezas que mais necessitam de reciclagem e que podem acionar o medo com intensidade estão as chamadas crenças de identidade, isto é, aquelas que criam uma percepção do valor e da estima pessoal. São as que mais sofrimento têm causado ao ser humano. Sob gerência de padrões de desvalor e de não merecimento, os sentimentos e pensamentos aprisionam a vida psíquica e emocional no estado de baixa autoestima.

A baixa autoestima é um processo psíquico automático reforçado no período da infância, mas que, na maioria dos espíritos reencarnados na Terra, é um diagnóstico construído ao longo de milênios.

Esse estado psíquico e emocional de desamor em relação a si mesmo é um efeito desse apego milenar ao comportamento egoísta. A necessidade compulsiva de elaborar um autoconceito superdimensionado de nós mesmos terminou por trazer um efeito contrário, levando-nos a essa sensação de menos valia e vazio interior. O medo surge exatamente quando assumimos nossas necessidades e tomamos contato com o sombrio dentro de nós, quando reconhecemos as nossas reais e profundas necessidades de buscar a realidade e abandonar essas mascaras tóxicas, que já não servem mais para o prazer e para a realização pessoal.

Desapegar-se das crenças que estruturavam um edifício de ilusões é o mesmo que navegar por um mar revolto, sem rota, sem farol e sem direção.

No Evangelho, a passagem em que Pedro foi convidado por Jesus a andar sobre as águas é um exemplo que ilustra bem esse assunto. Trata-se de um andar incomum em um caminho sem referências e exclusivamente pessoal, pois, embora houvesse muitas pessoas naquele momento na praia, só Pedro foi chamado pelo Mestre.

Todos seremos chamados em algum momento a andar sobre águas, a fazer um trajeto de libertação por caminhos e aprendizados incomuns. Andar sobre as águas vai exigir uma convicção sólida e um destemor sem igual: teremos medos e, assim como aconteceu com o apóstolo, poderemos afundar nas águas dos nossos descuidos e temores apenas por força de uma leve rajada de vento. O vento da indecisão, da dúvida, da incerteza e da severidade com nós mesmos. Assim como andar sobre as águas, reciclar nossas próprias verdades atemoriza-nos porque significa trilhar uma jornada pessoal, sem comparação, única. Nesse processo, somos nós e nossa consciência, nós e nosso ser transpessoal que anseia nascer e florescer.

Para tornar esse caminhar menos doloroso e mais consciente, será necessária a descoberta de quais crenças nossos medos indicam. Cada medo pode ser um indício daquilo que devemos reciclar.

No medo de sofrer, pode estar enraizada a crença de que não merecemos o prazer.

No medo de aproveitar as boas coisas da vida, pode estar gravada a crença de que a vida só tem valor legítimo quando as conquistas vêm pela dor e pelo sacrifício.

No medo de experimentar romper seus limites, pode abrigar-se a crença do castigo para quem não se conduz conforme os padrões.

No medo de errar, camufla-se a crença da incompetência ou do perfeccionismo.

No medo de competir, pode estar a crença de que temos de ser os melhores.

No medo do desamparo, costuma se esconder a crença de que o amor alheio é mais importante do que o autoamor.

No medo de estabelecer limites, quase sempre está a crença em nossa infalibilidade.

No medo de nossa fragilidade, abriga-se a crença de que temos de dar conta de tudo.

O medo de perder pode trazer embutida a crença de que somos culpados pelas conquistas que fazemos.

No medo de ser quem somos, quase sempre está a crença de que ser diferente é um mal.

Aquele servo da parábola dos talentos[1] tinha uma convicção limitadora. Ele preferiu enterrar o talento porque era essa a sua concepção de proteção, de bom uso, ao mesmo tempo em que se submeteu a uma postura de acomodação e de menor esforço. Por conta de suas ilusões, não gerou vida, movimento e não ampliou o raio de sua experiência. Fechou-se em sua concepção, por zelo e cautela.

Nos serviços de aprimoramento espiritual, muitos de nós rendemo-nos a essas concepções temerárias que

---
1 Mateus 25:14 a 30.

sutilmente invadem o campo mental com ideias de prudência excessiva e terminam em preguiça, perfeccionismo e fuga.

Diante de tais atitudes, verificamos claramente a presença do egoísmo mais uma vez incensando a ideia de sermos o melhor, quando os serviços do bem e da luz na busca de nosso progresso apenas nos propõem a fazer o melhor que já conseguimos.

A crença lúcida e libertadora de quem segue a Jesus é ser alguém melhor hoje do que ontem e dar um passo atrás do outro na busca do aprendizado lento, gradativo e ininterrupto na construção de um homem novo em constante aperfeiçoamento.

Efeitos energéticos da carência afetiva e da solidão

6

"Vem um dia em que ao culpado, cansado de sofrer, com o orgulho afinal abatido, Deus abre os braços para receber o filho pródigo que se lhe lança aos pés."

Santo Agostinho (Paris, 1862).
O evangelho segundo o espiritismo, capítulo 14, item 9.

À luz do dicionário emocional, carência significa falta de nutrição afetiva básica, constituindo-se em mais um dos efeitos nocivos da conduta egoísta ao longo de vidas sucessivas.

Agravada pela educação infantil deficiente, a baixa autoestima ou a autoaversão é um dos traços psíquicos e emocionais da maioria dos habitantes da Terra. Considerada na medicina do mundo astral como uma doença matriz, a baixa autoestima é o alicerce de uma enorme variedade de sofrimentos humanos.

A carência de afeto pode ser definida como um processo de "anorexia emocional" ou de desnutrição de alimento essencial para a saúde integral.

Essa desnutrição pode impulsionar o coração humano ao padecimento de algumas doenças, como rejeição, descrença, insatisfação crônica, pânico, depressão, dependência, sensação de incompetência e outros graves quadros agudos que configuram o dilacerante estado interior de insegurança emocional e solidão. Na raiz dessa dor, o ser humano encontra-se angustiado e desesperado por ser amado.

A insegurança e a solidão desvitalizam progressivamente o sistema energético de defesa, abrindo os chacras às mais diversas agressões predatórias astrais de bactérias, vírus e micro-organismos capazes de adoecer o corpo físico. A energia emanada pela insegurança é uma poderosa usina de forças catalisadoras, isto é, ela atrai as chamadas forças invasoras ambientais, fragilizando a saúde física e energética.

Essa usina funciona como um ímã puxando, sugando e rastreando sem interrupção o que pode preencher a carência, a falta de nutrição. É como uma perturbação nos corpos sutis da criatura estabelecendo condições favoráveis aos mais diversos quadros, incluindo a vampirização energética de encarnados.

Quando nos sentimos carentes, é comum embarcarmos em relacionamentos confusos, pois buscaremos no outro o amor que não conseguimos desenvolver para sustento pessoal. Quanto mais carentes, menos gostamos de nós e mais desesperada será a busca pelo outro para preencher a nossa vida. O clima astral de quem vive assim é vulnerável e agrega um alimento emocional de baixa qualidade nos ambientes e nas pessoas de sua convivência.

A carência afetiva é uma doença que solicita tratamento, apoio e orientação. Essa insatisfação com nós mesmos, que chega até os limites da aversão, tem um poder extraordinário de camuflagem e, por essa razão, impede-nos de verificar com exatidão qual a raiz de muitos de nossos comportamentos perante a vida.

Condutas nascidas da raiva, do medo, do orgulho, da tristeza e da culpa costumam esconder esse desgosto de nós mesmos.

A parábola do filho pródigo[1] narrada no Evangelho é a história de nossa evolução. Depois de cansados de esbanjar a herança divina com nossas escolhas infelizes, estamos fazendo o caminho de volta para Deus, resgatando o divino dentro de nós. Retornamos cansados, pobres e infelizes. Deus, porém, como narra o texto evangélico, nos acolhe com bondade, oferecendo-nos o melhor.[2] A bondade do Criador, no entanto, não nos dispensa de colher o fruto de nossa plantação. Carência é resultado de egoísmo milenar. É efeito de quem não entrou em comunhão com a vida, com o próximo e com as leis superiores do bem e do amor.

A nenhum de nós faltarão as condições de superação e reeducação. Se desejarmos sinceramente retomar nosso caminho em direção a uma vida farta, preenchedora e sob a presença da alegria, compete-nos o aprendizado de transformar os impulsos personalistas em valores morais. Parece um paradoxo: o que nos falta para superar o estado de carência é saber nos cuidar não mais com egoísmo centralizador, não mais com caprichos pessoais atendidos, mas com aceitação, amor, acolhimento, coragem e humildade.

Uma das mais velhas feridas evolutivas da alma é a sensação de abandono, sendo a carência afetiva e a solidão

---

[1] Lucas 15:11 a 32.
[2] Lucas 15:22.

suas máscaras. Idealizar um mundo perfeito com pessoas irreais e ignorar a fé em forças maiores são caminhos diretos para a prisão do autodesamparo.

Reeducar nossa carência e solidão significa ajustar nossa vida mental e emocional à realidade. Quem espera mais do que aquilo que o outro pode dar vive escravo da mágoa. Quem descrê que existem forças capazes de acolher seus esforços no bem estaciona nos pátios da acomodação e do pessimismo.

O carente espera demais. O solitário descrê.

O carente magoa-se. O solitário desanima.

Quem espera muito ou desanima com facilidade está na contramão do fluxo da vida, que é dar, realizar e continuar sem cessar.

Carência e solidão são resolvidas quando fazemos o movimento contrário. Ao invés de exigir e esperar, fazer e escolher.

Os outros não têm o poder de travar nossas vidas, a menos que lhes confiramos essa capacidade. A vida não está contra nossos anseios de luz, a menos que acreditemos nessa ilusão.

De fato, todos precisamos ser amados, pois essa é uma necessidade básica. Mas em muitas ocasiões, no canteiro da vida, haveremos de primeiramente colher os frutos indesejáveis de nossa plantação, posteriormente plantar as novas sementes do bem, e mais adiante colher o amor que desejamos.

Plante sem temor. Quem se lança ao trabalho de semear, ainda que necessitando do alimento, terá gratas e louváveis surpresas no caminho.

Qualquer ato de amor, por menor que seja, é devolvido com bênçãos que nem imaginamos. Mesmo precisando ser amados, amemos e confiemos na misericórdia das leis celestes, recordando a fala sábia de Santo Agostinho: "Vem um dia em que ao culpado, cansado de sofrer, com o orgulho afinal abatido, Deus abre os braços para receber o filho pródigo que se lhe lança aos pés."

O desencarne de um palestrante espírita

"Chamando para perto de si o povo e os discípulos, disse-lhes: Se alguém quiser vir nas minhas pegadas, renuncie a si mesmo, tome a sua cruz e siga-me; – porquanto, aquele que se quiser salvar a si mesmo, perder-se-á; e aquele que se perder por amor de mim e do Evangelho se salvará. – Com efeito, de que serviria a um homem ganhar o mundo todo e perder-se a si mesmo?"

O evangelho segundo o espiritismo, capítulo 24, item 18.

Aqui no mundo espiritual o que faz maior diferença em favor de nossa paz não é o bem que fazemos ao espiritismo ou às tarefas nas agremiações da doutrina, mas os valores morais e habilidades emocionais que desenvolvemos na vida interior, os quais são capazes de edificar condições em favor do equilíbrio mental e da cura espiritual.

Os movimentos que realizamos para fora de nós nem sempre constroem iluminação interior. Trabalho por fora é movimento; trabalho por dentro é conquista e experiência.

Em nossos centros de recuperação no Hospital Esperança, temos variados dramas envolvendo religiosos, inclusive muitos servidores da doutrina espírita que padecem enfermidades graves em razão da desatenção a este princípio básico que deveria orientar todos os nossos dias de aprendizado na matéria: "O reino de Deus não vem com aparência exterior."[1]

Religião sem religiosidade. Discurso sem prática do bem renovador.

Exímios oradores espíritas amargam conflitos tormentosos por não aplicarem em si mesmos as lições que ensinaram a outros.

Trabalhadores disciplinados e assíduos da mediunidade que não conseguiram superar suas culpas em relação a erros que cometeram ao distraírem-se de singelos deveres no progresso profissional. Dirigentes conhecidos da seara que sofrem dilacerante amargura por terem desconsiderado a importância da cortesia no lar com seus familiares, que lhe rejeitavam a conduta agressiva e formal. Devotados companheiros que se tornaram exemplos vivos de solidariedade e desprendimento suplicam apoio e socorro para dores afetivas das quais fugiram, temerosos que estavam nas lutas da convivência.

Enfim, temos por aqui ótimos companheiros do ideal espírita que foram aplicados em suas atividades, mas, deixaram de aplicar em si mesmos a essência dos objetivos transformadores da proposta espírita-cristã.

Esses espíritos são credores do amparo por conta do bem que espalharam pela doutrina e pelo próximo e recebem o carinho e a orientação clara de seus tutores aqui na vida espiritual. Em contrapartida, nem sempre se livram de tormentas íntimas que lhes internam em

---

[1] Lucas 17:20.

leitos de tratamento e dor nas enfermarias de amor em nosso plano.

Os oradores, por tanto repetir e estudar, enriquecem seus recursos de entendimento, os médiuns disciplinados ampliam suas chances de serem mais responsáveis, os dirigentes acolhedores preparam-se para condutas mais afetivas. Quem se afeiçoa à solidariedade semeia no próprio coração o desejo de um mundo melhor. Todavia, se tais alunos do aprendizado espiritual não empregam esse tesouro de suas aquisições na construção de relações sadias e enriquecedoras, abre-se um vazio em seus corações e instala-se uma terrível sensação de que existe um abismo entre suas conquistas e a realidade.

Por conta da hipnose do orgulho, muitos trabalhadores espíritas fazem da tarefa um degrau para a vaidade e a ambição pessoal.

Tarefas são oportunidades abençoadas e precisamos olhar para elas como um campo de preparo e treinamento, cujo principal objetivo é tornarmo-nos pessoas mais felizes e melhores moralmente.

Por essa razão, cabe-nos executar constantemente o autoexame a respeito de nossas reais aquisições morais e emocionais.

É mais fácil ser bondoso na casa espírita que nos lugares que lapidam nossas arestas morais por meio da convivência, nos quais são exigidos de nós, continuamente, aprendizados de perdão, entendimento, renúncia, coragem e discernimento. Tarefas espíritas não substituem o aprendizado da superação de nossos impulsos reeducativos no lar, na via pública, na escola, na empresa e em quaisquer ambientes sociais.

Quando o amor que temos ao espiritismo tem mais importância que o amor ao semelhante e quando a tarefa torna-se sinônimo de grandeza espiritual, é hora de fazer uma reflexão sobre o que estamos fazendo do ensino cristão "ameis uns aos outros, assim como eu vos amei."[2]

Reflitamos no caso de Roberto, homem dos seus 59 anos de vida no corpo físico, trabalhador devotado e um dos mais expressivos expositores da comunidade espírita, que acordou, após algumas horas do desencarne, em um dos nossos leitos nas enfermarias no subsolo do Hospital Esperança.

— Olá – cumprimentou ao enfermeiro ao lado de seu leito.

— Irmão Roberto, que bom que está acordando.

— Quem é você?

— Sou Paulo, enfermeiro aqui no hospital.

— Que hospital é esse?

— Aqui é o Hospital Esperança. O senhor está sob os cuidados de Bezerra de Menezes.

---
2 João 15:12

— Hospital Esperança? Então... Desencarnei? Meu Deus! Assim? Logo agora? Eu me lembro de que tropecei e caí no chão. Não vi mais nada. Quem me trouxe para cá?

— Fique tranquilo, meu amigo. Tudo está sob controle – informou discretamente o enfermeiro.

— Estou com uma sensação ruim. Eu desencarnei mesmo? Estou com um nó na garganta e...

Roberto, após a notícia de seu desencarne, teve uma reação súbita de perturbação muito comum e entrou em profundo estado de confusão. Foi sedado e levado para uma enfermaria em leito isolado, tamanha a agitação que sofreu naquele primeiro instante.

Cinco dias se passaram sem nenhuma alteração em seu quadro. Mostrava-se inquieto, irreverente e queria todo tipo de informação a respeito de seu quadro. Somente no sexto dia apresentou um clima mais ameno. Paulo continuava acompanhando o caso.

— Paulo? – indagou Roberto após acordar de uma de suas crises.

— Que bom que se recordou de meu nome. Ótimo sinal!

— O que está acontecendo comigo, enfermeiro? Quando terei a visita de um médico? Estou sem memória e não consigo ter controle sobre meus pensamentos.

— Brevemente será reavaliado.

— Pelo amor de Deus, o que está acontecendo comigo? Estou mesmo desencarnado ou isso é um sonho? Estou confuso. Não sei o que está acontecendo. É efeito de remédios?

— Calma, Roberto! Você precisa de sossego. Sem isso você não vai se recuperar.

— Mas, pelo amor de Deus, me fala o que está acontecendo! Se desencarnei mesmo, é muito estranho que esteja assim.

— O que você sente, Roberto?

— Parece mesmo que enlouqueci. Tenho sonhos, se é que são sonhos, enquanto estou acordado. Parece que eu não sou eu. Estou sem controle de minha mente. Quando você me chama de Roberto, fico com uma sensação que esse não é meu nome. É como se eu não fosse eu, entende?

— Claro que entendo.

— Então me explique o que é isso. Eu sempre fui tão seguro. Você tem informações sobre minha trajetória no movimento espírita?

— Sim, tenho.

— Sabe de minha devoção ao espiritismo?

— Claro que sabemos. Você está na ala cuidada por doutor Bezerra.

— E quando ele vai aparecer?

— Já esteve aqui enquanto você estava desacordado.

— E você pode me dizer... – e não parava de perguntar até que foi contido por Paulo.

— Roberto, por caridade, mantenha-se calmo. Não posso lhe responder mais nada por agora. Amanhã cedo você será reavaliado.

No dia seguinte, bem cedo, na enfermaria isolada em que se encontrava Roberto, chegaram o doutor Inácio Ferreira e José Mário para examiná-lo.

— Bom dia, Roberto! – falou doutor Inácio com muito humor.

— Mas o senhor não é Bezerra de Menezes! Fui informado que ele viria aqui hoje.

— Ah, isso não é problema! Se o senhor olhar bem, basta colocar uma barba longa e branca e ficarei igualzinho a ele. – brincou doutor Inácio, que estava em um ótimo clima.

— Quem é o senhor?

— Inácio Ferreira.

— O médico de Uberaba?

— O próprio. Vou examinar seu caso.

— Eu quero informações sobre meu caso.

— Eu darei, quando achar que devo.

— Quem o senhor acha que é?

— Seu médico.

— Eu já conheço sua fama de brincalhão e peço respeito comigo.

— Se o senhor quer ser respeitado, é só me respeitar também.

Muito descontente e olhando com certa revolta para o médico, Roberto se conteve. Doutor Inácio fez os exames de rotina usando um pequeno aparelho com o qual investigou principalmente a região craniana do doente e orientou:

— Paulo, se até amanhã ele mantiver esse quadro, pode transferi-lo para os salões de atividades terapêuticas.

Dr. Inácio, acompanhado por José Mário, que se manteve em silêncio, saiu para novas visitas, parando antes no posto próximo ao leito de Roberto para fazer anotações de prontuário.

— É a vida, não é, José Mário?! Quem viu Roberto transitando na comunidade espírita com uma agenda lotada, contagiando multidões com sua palavra altiva e em ternos alinhados, nem imagina o que se passa no momento.

— Ele está mal, doutor Inácio?

— A recuperação será muito lenta e ele terá muitas recaídas, com certeza.

— O senhor pode me detalhar o caso?

— Roberto, como muitos de nós, descuidou da vida interior. Falou para multidões, contagiando a emoção do povo com palavras tocantes, mas não se impregnou da energia que despertava nos outros. Seu verbo foi libertador para muitos, mas não para ele. Equivocou-se com a ilusão da importância pessoal por conta da repercussão e do poder de influência que dominava. Agenda lotada, aplausos, autógrafos e cerimônias. Nada disso seria problema para seu aprendizado se ele não substituísse a ordem e a importância das coisas. Entretanto, depois que se tornou orador oficial de influente organização do movimento, foi abandonando a família, os bens materiais e as amizades. Supunha cumprir grandiosa missão para a causa da doutrina. Assim, pouco a pouco, esposa, filhos e amigos não suportaram o distanciamento e, o pior, seu comportamento artificial de soberba. Diversão, trabalho e hábitos sociais passaram a ser recriminados nos seus costumes. Claro que em sua vida mental tudo isso tinha uma repercussão psicológica e emocional. É um processo de negação. Para assegurar um relativo equilíbrio e a continuidade da tarefa, justificava-se sempre com os argumentos de compromissos assumidos antes de reencarnar, e assim o tempo foi passando.

— E o que ele tem agora aqui em nosso plano?

— Ele vai se sentir aqui como se sentia após suas palestras brilhantes: sozinho, sem ninguém para dialogar, com uma sensação de vazio. Ele se fez um bom palestrante e não se ocupou em ser amigo. Adicionando a esse estado íntimo, ele terá muita confusão mental. Aqui, ele não terá uma agenda de trabalho e nem consumirá seu tempo preparando suas conferências. Isso lhe colocará em contato com aquilo que negou em seus sentimentos enquanto estava no mundo físico. Nessa primeira fase, vai sofrer a frustração acompanhada de profunda inquietação. Em um segundo momento, virá a revolta, acompanhada de depressão. Serão estágios duros para ele. Muitos companheiros do ideal espírita estão chegando aqui desse modo. Quando encarnados, parecem pérolas reluzentes e de raro valor espiritual. Ao desencarnarem, revelam que aquilo era só uma capa e desfazem-se como torrões de areia diante da verdade de suas próprias consciências.

— Toda vez que conheço essas histórias penso na minha própria trajetória, doutor Inácio. Toda vez que ocupei uma tribuna espírita sempre mencionava que estava falando primeiramente para mim. E estava sendo sincero. Era como me sentia.

— Em verdade, José Mário, qual de nós está fora disso? Muitos, porém, estão projetando nas atividades espíritas a sua realização pessoal. Confundindo preparo com vitória, misturando oportunidade com missão. Cada um de nós, a seu modo, vai experimentar esse processo de desilusão com mais ou menos dor aqui na vida espiritual após a morte do corpo físico, como aconteceu com nós mesmos.

— Em minha despretensiosa avaliação, a maior confusão é entre a causa da doutrina e a causa pessoal! Querendo servir ao espiritismo, desservimos ao seu mais essencial objetivo.

— Eu até arrepio quando ouço essa expressão, José Mário! Uma assombração no meu modo de entender! – brincou o médico. Pela causa da doutrina, dizendo servir ao espiritismo e ao próximo em obras sociais, muitos de nós desperdiçamos a oportunidade de servir ao amor, que deveria ser a nossa grande causa. E amor nem sempre tem relação com agendas lotadas e com muito movimento exterior. Como diz o Evangelho: "Com efeito, de que serviria a um homem ganhar o mundo todo e perder-se a si mesmo?"[3] Roberto, infelizmente, não abriu seus olhos a essa verdade durante a vida física.

— Como o senhor definiria amor para nós que amamos o espiritismo e compreendemos a importância das tarefas doutrinárias?

— Amor? Ah! Para Roberto, o amor significava disciplina, comprometimento, carisma com a multidão e conforto para os ouvintes de suas palestras. Digamos que amor é ter a capacidade íntima de acionar os nossos melhores sentimentos seja com quem for e em que situação for, porque isso nos permitiria a grande ventura de entender que cada pessoa está no seu ritmo e na sua estrada de ascensão. Amor é entender, por exemplo, que Roberto é uma ótima

---

3   O evangelho segundo o espiritismo, capítulo 24, item 18.

pessoa e fez o seu melhor. Por essa razão lógica, amar é reservar em nosso coração os melhores sentimentos pelo seu trabalho e por seus esforços, oferecendo-lhe todo o nosso carinho. Somente com amor legítimo esse mundo de cá e o de lá conhecerão a regeneração. Roberto não vai fugir da lei consciencial porque já estava pronto para ser mais que um grande orador. Ele vai olhar para trás e amargar a decepção que consome a maioria de nós que chegamos aqui na vida espiritual e vai reconhecer que o amor é mais do que amar multidões. Perceberá, então, que nos círculos da família e da convivência descuidou-se de deveres pequeninos e essenciais. Muitos companheiros de nosso ideal, aliás, estão com foco nas grandes e expressivas tarefas, sendo que não é o tamanho delas que nos dá a medida do amor, e sim como nos comportamos diante delas, esclarecidos sobre a extensão de nossas necessidades espirituais. A velha armadilha moral do orgulho e da vaidade tóxica continua fazendo vítimas e impulsionando o homem a crer que mais vale conquistar o mundo à sua volta do que a si mesmo.

Como se tratar diante das frustrações

"O Cristo vos disse que com a fé se transportam montanhas e eu vos digo que aquele que sofre e tem a fé por amparo ficará sob a sua égide e não mais sofrerá."

Santo Agostinho (Paris, 1863).

O evangelho segundo o espiritismo, capítulo 5, item 19.

Tomar contato com a falibilidade é uma experiência comparável à dolorosa cirurgia sem o benefício da anestesia.

Sentir-se impotente, arrepender-se de más escolhas, reconhecer honestamente uma falha lamentável, ter a coragem de olhar para os erros do passado são atitudes desafiantes para nós que buscamos o aprendizado espiritual.

Quando todas as resistências do orgulho e da vaidade a respeito de nossos reais limites se quebram, a sensação de frustração costuma ser o espelho no qual enxergamos as tormentas de quem se percebe falível. E a frustração pode transformar-se na porta que se abre para a entrada do desvalor pessoal, que encarcera a mente e o coração na sensação de inutilidade e vazio interior.

Nesse quadro de provas emocionais, experimentamos a amargura da solidão e o clima da falência moral. Tudo parece uma sementeira arrasada por praga destruidora e um mal-estar toma conta da alma.

Todavia, para dimensionar nossa verdadeira estatura espiritual e ajuizar sobre quais são as reais necessidades de aprimoramento, torna-se indispensável a desilusão a respeito do que pensamos que somos. É necessário o contato com nossa falibilidade para examinar com proveito a realidade que nos cerca. A humildade só é possível quando caem todas as escamas enfermiças de nossa autoidolatria sobre supostos valores e qualidades que ainda não possuímos.

É no clima da frustração que brota a verdadeira identidade do nosso ser eterno, individual, exuberante e capaz de refletir a grandeza do criador.

Quem sofre a dor da frustração guarda, no íntimo, muitos anseios nobres que ainda não foram alcançados. Somente quem não se alimenta de boas intenções não se frustra.

Frustração pode ser também indício de que necessitamos rever posturas e reconstruir decisões, não sendo por isso, sinônimo de infelicidade. Frustração é sinal de rota mal orientada, e os infelizes não são aqueles que tentaram e falharam, mas, aqueles que sequer importam-se com os dissabores da existência, optando pela fuga na irresponsabilidade. As pessoas que se frustram o fazem porque tiveram atitude, tentaram, nutriram boas intenções, desejos e expectativas.

O encontro com nossa falibilidade só é possível porque estamos sensíveis a algo melhor e queremos avançar. Se nos importamos com as decepções da vida vinculadas à nossa responsabilidade é porque almejamos rumos melhores e mais sadios. Por essa razão, consideremo-nos vitoriosos porque tentamos, e errar faz parte da caminhada. E porque errarmos e nos frustrarmos, ainda que repetidamente, não quer dizer que não somos capazes ou que não merecemos o que buscamos. A frustração, em verdade, é um convite ao recomeço de um modo diferente e melhor, é indício de que talvez tenhamos de rever nossas expectativas ou alterar nossa forma de realizar o que desejamos.

Não confundamos frustração com derrota. Frustração é sintoma de que o resultado não foi o esperado, e a derrota só existe para quem desistiu ou nem tentou.

O fato de nos esforçarmos para alcançar o êxito não significa que o alcançaremos. Isso não basta.

Nos dias atuais, em função do imediatismo, há uma busca desenfreada de sucesso pelos caminhos da facilidade, quando, na verdade, toda conquista legítima, para valer a pena e nos pertencer de fato, solicita o concurso louvável do tempo, da paciência, da disciplina e da persistência.

Na Terra, raramente alguém se encontrará fora das provas da desilusão. Muitos sonhos, planos e revezes nada mais são que vivências para destruir as ilusões egoísticas de conquistas fáceis e apressadas. Necessariamente, elas não indicam incompetência, desvalor ou limitação, mas sim são resultados da pressa, de estratégias inadequadas e de pouca dedicação e cumplicidade.

Muitas vezes o que consideramos perda, erro e má escolha é uma alteração de curso nas lições da vida para nos aproximar ainda mais do desenvolvimento de habilidades e valores que verdadeiramente nos farão felizes e realizados.

Vamos acolher a frustração como um alerta da existência a fim de examinarmos com mais atenção a qual aprendizado estamos sendo chamados.

Lembremo-nos de que os vitoriosos não são os que sempre acertam, e sim os que não desistem. Vitoriosos perdem no mundo das ilusões e ganham no mundo da realidade, distanciam-se de expectativas impossíveis e aproximam-se do que é essencial, libertador e que satisfaz seus corações. Sendo assim, alegremo-nos conosco pelo esforço empreendido e continuemos nos tratando com carinho e aplicando as melhores energias do bem.

Se chegamos até aqui e não desistimos, imagine o quanto ainda poderemos realizar se decidirmos trilhar o terreno fértil da cumplicidade e da coragem de nos autoavaliarmos diante das frustrações da caminhada!

Pode até ser que para muitas pessoas sejamos fracassados. Porém, nas leis de Deus, quando não alcançamos êxito, significa que estamos sendo convocados ao recomeço. Só mesmo no dicionário humano existem palavras que significam derrota e insucesso a respeito das nossas escolhas na vida. Na lei divina, impera a bondade, a misericórdia, o amor e o determinismo de atingirmos a perfeição. Acreditar nisso significa não aceitar a opinião de quem só enxerga o nosso lado sombrio. De mãos dadas com Deus, retomemos o curso e acreditemos no bem em nós. Deus conta apenas com o nosso melhor, Ele não espera perfeição.

Cada dia é um convite ao recomeço, e o que ontem parecia sem solução hoje se transforma em resposta inesperada para a alegria e para a paz. O que ontem era ofuscado pela treva hoje pode se converter em luz para o caminho da realização. O que nos parecia fracasso pode ser apenas convite a novos rumos para o melhor em nosso favor. Mudando o ponto de vista, poderemos perceber que aquilo que parecia má-sorte e negativismo é, na verdade, a melhor forma que a vida encontrou de indicar-nos qual direção tomar para nosso crescimento e felicidade.

Recomeçar é a atitude de quem aceita sua condição de criatura falível. Certamente, é nessa condição que Deus sempre nos vê.

Acreditar na vitória já é metade da batalha ganha. É imunizar-se contra o derrotismo, o desânimo e as influências contrárias que pressionam a vida mental.

Como assevera Santo Agostinho: "O Cristo vos disse que com a fé se transportam montanhas e eu vos digo que aquele que sofre e tem a fé por amparo ficará sob a sua égide e não mais sofrerá.".

Frustração é uma trilha segura de que estamos a caminho da cura, desde que tenhamos compaixão com nossos atos e a usemos para recomeçar quantas vezes se fizerem necessárias.

Psicologia da alegria na transformação interior

> *"Ora, se encarando as coisas deste mundo da maneira por que o Espiritismo faz que ele as considere, o homem recebe com indiferença, mesmo com alegria, os reveses e as decepções que o houveram desesperado noutras circunstâncias, evidente se torna que essa força, que o coloca acima dos acontecimentos, lhe preserva de abalos a razão, os quais, se não fora isso, a conturbariam."*
>
> O evangelho segundo o espiritismo, capítulo 5, item 14.

Alegria não é ausência de problemas ou a certeza de ter todos os sonhos realizados. Essas definições estão conectadas com uma visão materialista do mundo, que define o prazer e o bem-estar como satisfação plena de interesses pessoais. Essa conduta é responsável pela cultura do menor esforço, cuja proposta central é a eliminação do sofrimento, das frustrações e das contrariedades da nossa vida, como se essa fosse a única condição para a conquista da felicidade e da paz.

O que não se percebe nessa ação de evitar a dor e os dissabores é que a paixão por uma vida idealizada, sem tropeços ou desafios, aumenta ainda mais o sofrimento através do medo que incendeia a mente com acontecimentos infelizes e imaginários. Sem notar, a criatura se torna refém de condições elaboradas pela vida mental a fim de permitir-se a alegria que depende das circunstâncias e expectativas a respeito das pessoas que ama ou da forma como os acontecimentos devem se desenrolar. Essas miragens exigem uma enorme quantidade de energia para serem controladas de acordo com os modelos de satisfação que foram idealizados.

Imaginar um modelo de felicidade para as pessoas que amamos e para o modo como a vida deve acontecer causa sofreguidão e nos distancia da realidade.

E nesse esforço sobre-humano para alcançar os modelos de felicidade, a criatura se abandona para atender exigências ou suportar situações que ela acredita serem necessárias para merecer algo melhor, gerando frequentemente as mais amargas experiências de desamor, como a depressão, a solidão, a mágoa, a inveja tóxica, o derrotismo e a revolta.

Alegria não é ausência de frustração. Alegria legítima também pode florir no campo das frustrações e decepções da vida, sendo o lírio que surge no pântano, exuberante, enriquecendo a paisagem de beleza e fulgor. A alegria é aquela certeza interior que a criatura conquista depois de desenvolver algumas habilidades afetivas na escola das provas diárias, insculpindo uma reação consciente e lúcida diante das dores e desafios.

A gratidão, a resiliência, a compreensão e a serenidade são algumas dessas habilidades que pavimentam o caminho de harmonia interior no clima do humor sadio.

A alegria nos preenche, revitaliza e produz abundância energética, levando-nos a agir com contínua resistência diante das dificuldades e com reações mais saudáveis aos desapontamentos. É um sentimento que promove naturalmente a leveza, a proteção espiritual e energética. Pessoas alegres se imunizam das ondas vibratórias do pessimismo e da maldade. O clima emocional dos que buscam o hábito de ser alegre forma uma couraça de energias imunizadoras de autoamor.

Essa é também a emoção de quem tem conseguido um melhor nível de aceitação da realidade. Aceitar é uma forma terapêutica de viver, porque quem aceita vive com mais otimismo diante dos acontecimentos da vida. Esse clima interior de acolhimento à realidade produz a resignação e evita fixações nos aspectos sombrios da vida mental.

Diante dessas reflexões sobre a alegria, observemos a relação deste tema com a reforma íntima.

Nosso lado sombrio não existe para ser eliminado, e sim para ser transformado. A primeira condição para essa transformação é a construção de uma convivência pacífica com nós mesmos e da expressão do acolhimento amoroso a nós mesmos. O vetor emocional da alegria de se renovar é o amor. Pessoas que se amam e que amam a vida sentem-se preenchidas, e quem se preenche de amor só tem razões para se expressar em jubilo e prazer.

Diante da proposta libertadora da reforma íntima, quase sempre assumimos uma atitude de desamor diante dos esforços nem sempre bem sucedidos do nosso ideal de melhora, aprisionando-nos aos climas da culpa, da mágoa, da raiva e da infelicidade, que frequentemente formam a atmosfera psíquica do desânimo e do mau humor. É a psicologia do perfeccionismo.

A maioria de nós não foi preparada para acolher e ser indulgente, nem para ter uma atitude amorosa com nossas imperfeições. Fomos educados para cobrar e pensar que damos conta de ser quem gostaríamos de ser ou quem achamos que deveríamos ser.

A ilusão da perfeição é uma doença severa e que nos afasta da saudável alegria de ter o que aprender todos os dias. Sem essa alegria, os nossos erros se transformam em fontes de remorso e martírio.

Não existe nada para aprender com o perfeccionismo.

Aceitação da realidade espiritual e ternura no trato com nós mesmos são comportamentos que ainda estão bem distantes de muitos de nós e que nos convidam a desenvolver limites mais toleráveis para atingirmos a sanidade e a paz no coração.

Tomados desse desamor, caminhamos na reforma íntima como se subíssemos uma ladeira íngreme carregando um peso desproporcional às nossas forças. O resultado é o cansaço, a tristeza, a apatia e, por fim, em casos diversos, a desistência dos ideais de renovação e melhora.

Reforma íntima com alegria é uma condição de quem decidiu se aceitar, compreender-se e acolher-se com ternura e carinho. É uma postura de autoamor legítimo que estimula, educa e cura.

Alegria não é ausência de dor e muito menos de deslizes morais. A verdadeira alegria, ao contrário, é um sintoma claro de que seu portador aprendeu a driblar a dor e a ter paciência construtiva com suas imperfeições, de que seu portador aprendeu o sentido terapêutico das provas.

Reforma íntima com alegria é a escola de Jesus que convida seus discípulos a ser alguém melhor, e não o melhor de todos. Na escola do Mestre, os discípulos são convocados a acreditar que merecem também o melhor. Seguir a Jesus é carregar sobre os ombros a cruz das dores necessárias sem que isso signifique que teremos de sofrer indefinidamente com esse movimento. A dor é necessária, o sofrimento é uma escolha. Jesus espera uma atitude corajosa dos seus aprendizes diante das dores. A alegria pode ser uma delas. Aliás, o Evangelho do Cristo é uma mensagem de alegria.

O corpo de todos os seres humanos é construído com um DNA da alegria, uma emoção básica da evolução humana. Buscá-la é um instinto natural, pois essa é uma emoção estrutural, básica para a sanidade. Não fomos criados para a tristeza, e nem mesmo os espíritos em dolorosas provas são privados dessa condição orgânica, podendo ativar esse recurso quando desejarem ou quando escolherem o caminho do autoaprimoramento em clima de celebração da vida e do bem.

Como diz o trecho de apoio anterior: "[...] o homem recebe com indiferença, mesmo com alegria, os reveses e as decepções que o houveram desesperado noutras circunstâncias, [...]".

Uma atitude alegre diante das dificuldades da vida é o termômetro mais fiel do quanto os conceitos doutrinários fizeram o percurso vitorioso descendo dos raciocínios brilhantes, e muitas vezes estéreis, para o coração, onde são gestadas as habilidades genuínas que promovem a libertação consciencial do ser, por meio da aquisição de sublimes conquistas afetivas e morais.

Aceitação da nossa falibilidade

"O fardo é proporcionado às forças, como a recompensa o será à resignação e à coragem. Mais opulenta será a recompensa, do que penosa a aflição. Cumpre, porém, merecê-la, e é para isso que a vida se apresenta cheia de tribulações."

Lacordaire (Havre, 1863).
O evangelho segundo o espiritismo, capítulo 5, item 18.

Quando não aceitamos nossas imperfeições, o sofrimento aumenta, pois a cobrança e a rigidez desenvolvem um campo mental fértil para a mágoa diante da frustração das expectativas, para a insegurança por não conseguirmos controle sobre a vida, para o medo do que pode acontecer por não ter esse controle, para a culpa por não ter conseguido controlar, para a vergonha por não ter alcançado o que gostaria, e para a revolta por tanta luta interior.

Aprisionados nesse redemoinho de emoções, instala-se em nós a baixa autoestima, uma dolorosa sensação de desvalor pessoal. Vivemos um conflito desgastante entre o que somos e aquilo que gostaríamos de ser.

A aceitação de nossa realidade é fundamental para gerir um processo de reforma íntima produtiva e esperançosa, já que o aprimoramento pessoal só flui com naturalidade quando criamos uma relação amigável e pacífica com nossas limitações e deficiências.

Devido à inaceitação da verdade pessoal, podemos afirmar, com pequenas variações de pessoa para pessoa, que em 75% do nosso tempo vivemos mentalmente presos ao passado, 20% focamos no futuro e apenas 5% conseguimos sincronizar-nos com o presente.

Quando vivemos no passado, nos aprisionamos na mágoa. Quando no futuro, escravizamo-nos à ansiedade, e só quando vivemos no presente experimentamos a realidade.

Mágoa é raiva do que aconteceu e ansiedade é medo do que virá. Só no presente podemos experimentar o intercâmbio de forças com a vida que nos alimenta e enriquece.

A raiva do passado é direcionada a alguém ou contra si mesmo. O medo do futuro cria a exaustão de energia na tentativa de controlar os acontecimentos e as pessoas para evitar as imaginárias tragédias ou decepções.

Viver no presente é ser alguém adaptado à realidade e consciente de seu papel pessoal em tudo que lhe acontece, aceitando tudo aquilo que não lhe é possível fazer ou transformar.

A aceitação é uma terapia curativa porque nos mantém emocional e mentalmente alinhados com a nossa realidade, consistindo em uma fonte essencial de saúde e passo seguro para aprender a tratar-se com bondade. Seu maior ensinamento é: farei somente o meu melhor, farei somente o possível.

Só o poder curativo do amor pode criar uma condição interior de melhoria e crescimento espiritual, pois tudo o que você aceita em si próprio fica naturalmente mais fácil de ser transformado em algo melhor. Tudo aquilo que você resiste ou condena acaba fortalecendo a sensação de impotência e culpa. Sendo assim, a autoaceitação é o primeiro passo para a criação de uma amizade duradoura e rica em favor de nossa paz.

Aceitação não significa que tenhamos de ser sempre do mesmo jeito ou que vamos nos acomodar com aquilo que aceitamos sobre nós. Significa apenas que vamos parar de brigar com nós mesmos, parar de resistir às nossas imperfeições e parar de colocar uma força para controlar a realidade não controlável. Aceitar nossas imperfeições é criar um acolhimento amoroso com nossa sombra pessoal.

Realizar uma transformação interior na condição de inimigos de nós mesmos é um ato de agressividade, um movimento emocional de abrir nossas defesas energéticas. O conflito interior fragiliza-nos, reduzindo a imunidade da aura.

Não aceitando, criamos mecanismos mentais de defesa que nos distanciam da realidade e fazem com que desenvolvamos atitudes de negação emocional.

Um excelente exercício para a prática da aceitação é entrar em contato com a fragilidade, com a nossa vulnerabilidade, nossa condição falível.

Aceitar nossa falibilidade pode ser o melhor caminho para viver uma vida com leveza, construindo atos de amor e paz interior. Aceitá-la significa desenvolver honestidade emocional para admitir que fizemos más escolhas e que fomos frágeis em momentos de decisão e ter coragem de olhar para o que sentimos diante dessa realidade. Somente assim podemos responder pelo que somos, pelos nossos comportamentos e sentimentos.

De acordo com as leis do universo, não existem fracassos, mas resultados. Fracasso é uma palavra que inventamos para dizer que as coisas não saíram como gostaríamos. Em contrapartida, resultados são os efeitos possíveis diante de nossos esforços, escolhas e desejos.

Fracasso, falência, derrota e erro são expressões próprias das imperfeições humanas, que, sob uma ótica imortalista, significam a necessidade de recomeço, reexame e melhoria.

Só erra quem tenta, e é melhor que não queiramos somente acertar na vida, até porque o que em muitas situações consideramos correto não passa de uma mera ilusão de nosso orgulho ou de uma distorção de nossas crenças.

Quando nos amamos, enxergamos com mais clareza Deus em nós mesmos, aceitando-nos incondicionalmente e, consequentemente, tratando-nos cada vez mais com carinho e solidariedade.

Ser responsável em assuntos da reforma íntima não significa dar conta de tudo, pois somente cada um de nós pode definir o quanto e o que fazer perante os desafios que nos aguardam na caminhada de superação.

Amar a si é também oferecer ao nosso próximo conhecimento de nossas reais capacidades e estabelecer condições para nos integrarmos por inteiro àquilo que fazemos e ao quanto conseguimos realizar.

Como destaca Lacordaire:

> "O fardo é proporcionado às forças, como a recompensa o será à resignação e à coragem. Mais opulenta será a recompensa, do que penosa a aflição. Cumpre, porém, merecê-la, e é para isso que a vida se apresenta cheia de tribulações."

Já é muito bom saber que, apesar de nossa fragilidade, as leis protetoras de Deus não colocam fardo mais pesado do que as forças. É também um alento pensar que, mesmo com tantas limitações, resignação e coragem podem alterar todo o roteiro de nossas provas de crescimento.

Ante as sombras da vida mental que insinuam climas pessimistas em nossos esforços, usemos alguns minutos do tempo, pensemos em nossos protetores do bem, cruzemos as mãos sobre o peito num gesto de autoamor e oremos de olhos fechados com resignação e coragem:

Pai, assumo minha fragilidade.

Supra-me para que eu encontre as forças de que necessito.

Abençoa-me para que eu não tombe no desespero ou na amargura, na tristeza ou na irritação.

Permita-me ter hoje um dia melhor que o de ontem, com mais disposição e confiança, com mais serenidade e trabalho.

Dai-me Tua mão generosa, e muito obrigado, Senhor!

Cordões energéticos I
Relações afetivas tóxicas

"Admitamos que, em dada circunstância, fostes realmente ofendido: quem dirá que não envenenastes as coisas por meio de represálias e que não fizestes degenerasse em querela grave o que houvera podido cair facilmente no olvido? Se de vós dependia impedir as consequências do fato e não as impedistes, sois culpados."

Paulo, apóstolo (Lião,1861).
O evangelho segundo o espiritismo, capítulo 10, item 15.

As tarefas noturnas do Grupo Espírita Servidores da Luz iniciaram pontualmente às vinte horas. Os médiuns faziam o serviço de preparação mental, enquanto no salão a palestra era iniciada com a presença de 150 pessoas, aproximadamente.

As fichas para o tratamento espiritual de saúde haviam sido previamente distribuídas e a equipe espiritual estava igualmente em sincronia com o trabalho.

Os atendidos no plano físico começavam a ocupar as salas onde se encontravam dispostas várias macas para o serviço de amparo.

O benfeitor Cornélius juntamente com José Mário e uma equipe de técnicos do Hospital Esperança acompanhavam o médium Antonino, que se desdobrava mediunicamente para permitir a presença de Pai João de Angola por meio da psicofonia. Na maca estava deitada uma mulher de seus quarenta anos. Pai João a abordou:

— Que *lorvado* seja Cristo, *zanfia*!

— Assim seja, pai velho! – respondeu Marta com certa timidez.

— A *fia* tá sofrendo muita dor, né *fia*?

— Estou sim. – e já respondeu aos prantos.

— Chora, *fiinha*. Chora. Isso vai te fazer bem. Alivia seu coraçãozinho.

— Eu não estou aguentando mais, pai João. Tenho vontade de morrer! De acabar com tudo.

— *Nego,* sabe *fia*!

— É muita dor. Que será que eu fiz em outra vida para merecer isso? Será que isso nunca vai acabar? São passados cinco anos e parece que cada dia estou pior. E agora, além de tudo, também estou doente. O que eu faço? – e chorava descontroladamente a sofrida mulher.

— *Fia*, isso se chama vida travada – falou pai João com muito humor, como sempre lhe é típico.

— Nossa, pai João... só o senhor para rir disso.

— Tem que rir, *fia*! Senão como que aguenta?

— Eu sei, mas não estou dando conta. Só se o senhor me ajudar, porque a minha vida travou com força. Agora estou desesperada.

— É a garganta, né *fiinha*?

— O diagnóstico pode ser muito ruim. O médico disse que tenho uma estenose de traqueia. Foi encontrado um cisto. Não sabemos se é maligno. Estou morrendo de medo, preto-velho. Muito medo!

— Fala um pouquinho do caso pro *nego*.

— Foi o Carlos, pai João. Depois de tantos anos de união, olha o que ele me fez. Dei-lhe apoio, segurei a onda na vida financeira quanto pude, ele se formou como médico e depois de tudo, o que ele fez?

— Foi viver a vida dele, né *fia*?

— Pois é, olha que injustiça!

— Injustiça? Por que, *zanfia*?

— Claro que é injustiça. Depois do tanto que dei a ele, como é que ele me responde?

— O que *fia* esperava do *fio* Carlos?

— Amor, amor eterno!

— E que foi que o *fio* lhe deu?

— Infidelidade e indiferença.

— O *fio* prometeu alguma coisa pra *fia*?

— Nunca. O senhor acredita que por várias vezes eu tive que ameaçar para que ele ficasse comigo? Ele me deu foi muito trabalho. Mudei toda a minha vida e deixei muita coisa minha de lado para que ele subisse na vida. Fiz muitos sacrifícios. Anulei-me.

— E não valeu a pena?

— Mas de jeito nenhum! Olha o que eu recebi em troca. Estou doente. Sinto-me sufocada por uma dor profunda. Não consigo desligar disso mesmo depois de tanto tempo. Perdi o interesse até de viver, meu pai.

— *Fia*, deixa *nego expricar* uma coisinha a *vosmecê*. *Vosmecê* quer mesmo *miorá*?

— Claro que sim. Cansei, pai!

— Que bom ouvir isso, *fia*. Então, escuta só. Quando uma pessoa tem uma doença muito brava e cresce um cisto nocivo em seu corpo, o que tem que ser feito?

— Uma cirurgia para retirar.

— Foi o que aconteceu com *vosmecê, muzanfia*.

— Como assim? Ainda não passei pela cirurgia. Nem sei se vou precisar, talvez eu morra antes disso. O que não seria ruim, porque não dá mais para viver do jeito que estou.

— A *fia* arrancou um cisto emocional com essa decepção. O cisto da ilusão.

— Ainda estou sem entender.

— Qual foi o sentimento que mais te atormentou o tempo todo durante esse relacionamento?

— Raiva, pai João. Eu sei que é um pecado, mas tenho que confessar ao senhor. Nunca passei tanta raiva na vida. Por fim, nos últimos anos de minha vida com ele, acho que senti mais raiva que amor.

— E o que a *fia* fazia com sua raiva?

— Engolia em nome do amor. Passava por cima. Muitas vezes deu vontade de acabar com tudo, sinceramente.

— E por que não acabou, *fiinha*?

— Porque eu acreditava que conseguiria mudá-lo com o tempo.

— Essa era a doença, *fia*. O cisto estava aí.

— Querer mudá-lo?

— Sim, *fia*. Essa é uma doença do amor que é contaminado pelo nosso egoísmo. Uma doença muita severa.

— O senhor está querendo dizer que eu jamais conseguiria mudá-lo nem fazer com que ele gostasse de mim?

— Eu estou dizendo, *muzanfia*, que ninguém consegue isso. Essa é uma das maiores ilusões do nosso modo de amar. E, por conta disso, a maioria de nós se abandona para conquistar o amor do outro. Deixa de se amar para ser recompensado com mimos e migalhas do carinho alheio. Por conta disso muitas pessoas acabam sendo manipuladas, abusadas e agredidas.

— Pelo amor de Deus! Explica isso melhor para mim. É assim então?

— Como a *fia* se sente hoje depois de cinco anos de separação?

— Triste, infeliz e com muita mágoa no coração. Sonho com ele todas as noites. E agora estou doente do corpo também.

— E a que a *fiinha* vem atribuindo toda essa dor?

— Pai João, eu posso estar errada, mas vou ser sincera com o senhor. Pra mim, isso tudo foi macumba da amante. Priscila era minha amiga, pai João. Saía junto conosco. E veja só o senhor, foi com ela que Carlos foi se enrolar.

— Eu sei, *fiinha*.

— O senhor sabe? Sabe como?

— Sua mãezinha querida está aqui me contando tudo. Dona Amélia está com a mão na sua cabecinha. Pega aqui na mão de *nego* véio e sente a mão dela *muzanfia*.

— Minha mãezinha, ai meu Deus! – Marta chorou copiosamente por alguns instantes sem conseguir dizer uma palavra.

— Contenha-se um pouquinho. Ela vai falar com *vosmecê*.

Pai João, como se diz entre os médiuns, "subiu", e Amélia assumiu a palavra por meio de Antonino, segurando as mãos da filha deitada na maca:

— Filha, Deus te abençoe!

— Mãezinha, mãezinha!

— Fica calma, minha filha. Esse é um momento de muitas bênçãos. Eu recebi seus pedidos. Sempre ouvi suas preces sentidas por esses últimos anos. Nunca disse nada, porque tudo tem seu tempo. E chegou a hora, Marta. A hora do despertamento. Abra seus ouvidos espirituais. Pare de chorar agora e me ouça. É hora de amadurecer, minha filha.

Pai João disse tudo. Você foi operada. O cisto da ilusão de ser amada foi arrancado, e isso dói mesmo. Sua mágoa é justa, considerando o comportamento de Carlos. Porém, ele nunca te prometeu nada. Vou ser dura para seu próprio bem: você comprou ou supunha ter comprado o amor dele com mimos, dinheiro e sacrifício. Carlos caiu em uma armadilha e, diante dos interesses dele, que não poderiam ser resolvidos de outra forma, aceitou seu apoio. Entretanto, ele sempre esteve dividido internamente entre sua cooperação e o amor que você esperava dele. No fundo, o abandono não foi dele. Foi seu. Você desistiu de si mesma para abrigá-lo. Você se esqueceu em troca de um amor que nunca existiu. Quando ele foi embora, não deixou uma carta? O que ele disse na carta? Vamos, me responda e não chore.

— Ele disse que me seria eternamente grato, mas que não me amava.

— Ele foi sincero. Seria melhor se ele lhe dissesse isso

logo no início da relação, porém você sequer lhe deu a opção de ser honesto. Você fala em vida travada com pai João e atribui à Priscila a causa de suas lutas. Como tem coragem de dizer isso? Priscila nunca pressionou o Carlos. Ela respeitava a união de vocês e não aceitou o convite dele para o adultério. É uma mulher que não queria um amor em migalhas e recusou a infidelidade. Foi por ela ser uma pessoa íntegra e que se respeitava, que ele se encantou. Eu sei que é duro ouvir, mas sou mãe. Fique quieta e me ouça. Você já sofreu demais com tudo isso, chega! A cirurgia da ilusão tem por objetivo o amadurecimento, a libertação. O que sua mágoa quer lhe mostrar com toda essa dor é que você também é responsável por tudo o que aconteceu. Se Carlos foi infiel, você foi cruel, controladora, servil e travou o seu caminho e o dele. A separação não só o libertou como foi também uma porta para sua alforria. Ele nunca te traiu por conta da integridade de Priscila, e você os acusa injustamente. E mesmo que isso tivesse ocorrido, o que você espera com essa acusação, senão criar um álibi na sua consciência para rebaixá-lo à condição de infiel e ingrato? Quem sofre com tudo isso é você. São passados cinco anos, minha filha, e olha para você? Até onde acha que vai aguentar?

— Eu não aguento mais, mãe. Ajude-me a sair disso.

— Agora sim, você disse algo de gente grande, que quer amadurecer e ficar adulta emocionalmente.

— Como sair disso, mãezinha?

— Perdoe.

— Tenho tentado esquecer, mas não consigo. A raiva parece aumentar a cada tentativa. Eu não consigo sequer olhar para o Carlos! Acho que não é raiva, é ódio.

— Perdoar não é esquecer, e o perdão não é para o ofensor. A relação só pode ser reexaminada depois dos cuidados com a ofensa. Perdoar é olhar para a dor da ofensa e perguntar: qual a minha parcela de responsabilidade para ter merecido essa dor?

— Nossa mãe! Que pergunta cruel!

— Quer libertar-se? Responda isso agora para mim.

— Está bem, eu vou dizer – e respirou fundo para dizer. A senhora disse bem. Eu fui muito idiota mesmo. Egoísta talvez seja melhor dizer. Fui cega pelo meu modo de amar, mas eu gostava tanto dele, mãe!

— Isso é mentira, minha filha. Se você, de fato, o amasse, não teria comprado o amor que não se vende, não o mandaria embora como fez. Amor acontece ou não acontece, simples assim!

— A senhora está certa, fui muito imbecil mesmo. E o que eu faço com essa raiva toda que sinto?

— Raiva de quem?

— Do Carlos e da Priscila!

— Acha mesmo que é deles que você tem raiva?

— Sei lá, o que a senhora quer dizer?

— Minha filha, todo melindre, ofensa e vergonha são sentimentos que deslocamos para os outros porque é mais fácil fazer assim. Criou-se uma cultura nesse assunto de que existe ofensor e vítima, entretanto, quando magoados, estamos, em verdade, é com muita raiva de nós mesmos por não conseguirmos, ou por não sabermos, nos defender de alguma situação que nos agrediu. A função da raiva é essa: nos proteger de ameaças, indicar que algo não está nos fazendo bem e que precisamos rever esse acontecimento. Ouça com atenção sua raiva e você perceberá que desde o início dessa relação ela te chama para rever sua postura egoísta que, de fato, fazia muito mal, antes de tudo, a você.

— Meu Deus, pode ser mesmo. Acredito sim, mãe. Raiva de mim. Faz sentido, e agora me dou conta disso. Vontade mesmo é de me matar, sabia?

— Não adiantaria. A raiva continuaria do lado de cá.

— Mesmo?

— Sim, e ainda com o risco de você se tornar obsessora de Priscila e Carlos. Perdão é isso, olhar de outro jeito para tudo que aconteceu. Pai João vai lhe ensinar o que está acontecendo e como você pode resolver esse seu momento. Lembre-se sempre de mim, filha querida, estarei sempre contigo.

— Ah, minha mãezinha, me dê sua bênção para que eu

consiga me libertar!

Dona Amélia desligou-se espontaneamente do médium deixando uma suave vibração de paz no ambiente, e pai João regressou à palavra mediúnica.

— Tá feliz, *muzanfia*?

— Oh, meu pai *véio!* Que Deus o abençoe por esse momento. Ajude-me! Como posso sair de tudo isso?

— *Fia*, a mágoa é uma cirurgia sem anestesia. Seu objetivo luminoso é extrair uma forma de ver que adoece, uma percepção truncada ou irreal da vida ou de alguma pessoa. A dor da ofensa tem por finalidade nos avisar que diante de frustrações e decepções necessitamos ajustar nossa visão mental à realidade e parar de tentar controlar a vida para atender aos nossos interesses pessoais. A mágoa é, sem dúvida, um dos sentimentos que mais travam a vida, consumindo muita energia e atenção do magoado para alimentar o ressentimento, isto é, o hábito tóxico de ressentir ou sentir novamente a dor que atormenta, alimentada por sua própria escolha. Para modificar isso, é preciso inicialmente um novo olhar sobre os acontecimentos, no qual você reconheça sua responsabilidade pessoal com essa dor. A *fia*, em verdade, tá travada por dentro.

— Eu estou entendendo, pai João, mas, por via das dúvidas, me responde: não existe nem uma macumbazinha ou um espiritozinho na minha história?

— Existe sim, *fiinha*!

— Eu sabia! – falou Marta como se tivesse achado a solução do problema.

— Essa entidadezinha e essa macumbeirazinha é *vosmecê* mesmo, *fiinha*! – respondeu Pai João sorrindo espontaneamente.

— Ah, pai João! Para com isso.

— É sério, *fia*. Muito sério. Não tem entidade no seu caso. Fica tranquila.

— Então quer dizer que esse lado espiritual está beleza?

— Não é bem assim, *zanfia*. Tem uma coisa pior que macumba e pior que entidade. – disse o preto velho por entre sorrisos.

— Ai! O senhor está me confundindo. E ainda ri, meu Deus, como pode?

— *Fia*, vamos falar sério. Há muito a ser feito no campo espiritual para que a *fia* se liberte e consiga o perdão verdadeiro. É preciso limpar seus cordões energéticos.

— O que é isso?

Cordões energéticos II

Técnicas
de limpeza e cura

12

"Os encontros, que costumam dar-se, de algumas pessoas e que comumente se atribuem ao acaso, não serão efeito de uma certa relação de simpatia?

Entre os seres pensantes há ligação que ainda não conheceis. O magnetismo é o piloto desta ciência, que mais tarde compreendereis melhor."

O livro dos espíritos, questão 388.

— Os cordões energéticos são laços de energia tecidos pelos fios afetivos que conectam as almas umas às outras. Existem os cordões luminosos, tecidos pelo amor e pelo respeito e que persistem para sempre nutrindo os corações dos que os cultivam. Na presente abordagem, chamaremos de cordões energéticos os laços que existem nas chamadas relações tóxicas, ou seja, aquelas que um dia foram elos de afetividade e carinho e que, com o tempo e os acontecimentos, se degeneraram em ligações de ódio, desgosto, mágoa e vingança. Tais cordões mantêm pessoas conectadas energeticamente, mesmo que o tempo e a distância as separem, e podem ser a causa de inúmeras doenças orgânicas, encontros noturnos atormentadores e, principalmente, a razão de travar a vida em todos os sentidos.

— Quer dizer que...

— A *fia* precisa primeiro tirar o *fio* Carlos da sua casa.

— Ele não vai lá há mais de 5 anos, pai João.

— Não, *fia*, engano seu. Ele está lá e *vosmecê* não sabe.

— Não estou entendendo.

— A energia dele está na sua casa por completo e é retroalimentada pela *fia*.

— Como?

— Aquele lençol preferido dele que a *fia* fica passando a mão. A cama de casal que a *fia* não pensa e nem aceita mudar de posição. Os retratos na cabeceira, as camisas que a *fia* ainda lava e passa sem precisar, só para lembrar nos momentos de saudade. As cartas escritas nas quais a *fia* já derramou muitas lágrimas e até o cachorrinho que ele tanto amava e a *fia* não aceitou que ele levasse. A *fia* precisa separar.

— Pai João, não é possível. Como o senhor sabe de tanta coisa?

— Sua mãezinha sabe.

— Eu sinto muita falta dele.

— É hora de aprender a viver sem ele, *fia*.

— O senhor acha que se eu me desapegar de todas as coisas dele, isso passa?

— Não basta! Isso só vai ter valor quando vier acompanhado pelo perdão que dona Amélia te ensinou e o reconhecimento de sua falha.

— O senhor tem razão! As fichas estão caindo na minha cabeça. Eu sou mesmo uma infeliz manipuladora de amor. Sinto-me tão inferior, que tenho que ficar comprando, como disse minha mãe, o amor dos outros. Estou farta!

— Que bom, *fia*. O cansaço, nesse caso, é um ótimo sinal.

— O que eu tenho que fazer para me desligar definitivamente desses cordões de Carlos, meu velho?

— Os cordões não são dele, *fia*. São de vocês dois. E não podem ser desligados. Essa é a beleza desse tema. As pessoas que amamos jamais se desligam de nós, pois o amor une eternamente as almas. Tornamo-nos responsáveis por tudo aquilo que cativamos. Você pode, sim, se libertar da parte tóxica de um cordão energético e resgatar o fio luminoso do amor com quem você está conectada. Você pode limpar o seu elo com Carlos, mas não desligá-lo. Existe limpeza de cordões e não ruptura. E fique sabendo que mesmo que a outra parte não deseje perdão e amor, você tem o direito de viver sem o peso que pertence à outra parte.

— Pai João, estou pensando aqui. Essa doença na minha traqueia...

— É fruto dos cordões energéticos criados pela mágoa e pelo ressentimento.

— Quer dizer que Carlos está me fazendo algum mal?

— Isso seria possível se ele a odiasse ou se estivesse com algum sentimento tóxico com *vosmecê*. Mas não parece que é isso que está acontecendo, né *fia*?

— Não, eu não acredito nisso, mas haveria possibilidade... – e pai João nem a deixou completar para lhe chamar a atenção de forma mais firme.

— Na verdade, *fiinha* de Deus, é *vosmecê* com sua mágoa que tem feito muito mal ao *fio*. Ele também está adoecendo e nem sabe de onde vem a causa. E a *fia* já tem notícias disso.

— É, eu realmente tive notícias. – E começou a chorar, dizendo: – Preciso me livrar disso rápido pai João, me ajude.

— *Nego* vai te ensinar, *muzanfia*. Vamos começar fazendo a separação física. Pensa no que a *fia* vai dispor e trocar em casa e retorne aqui dentro de um mês.

Depois do diálogo, pai João de Angola orientou-a a fazer uma limpeza astral em seu corpo e em sua casa e ainda realinhou dois dos chacras mais alterados em seu duplo etérico.

Passado um mês daquele encontro, Marta retornou para mais uma consulta.

— *Fia* Marta, *fia* Marta, Deus seja *lorvado*!

— Assim seja, meu *véio!* – respondeu sorridente.

— Vejo que teve *mioras, fia*.

— Muitas, meu pai. Sou outra mulher. O senhor não deu detalhes do que eu deveria fazer com minha casa, mas mudei tudo por lá. Vendi a cama, doei as roupas, procurei o Carlos e devolvi o cachorro e até consegui dar um abraço nele sem sentir nenhuma dor. Acho que estou livre, graças a Deus.

— *Benzadeus, muzanfia! Benzadeus!*

— O senhor e minha mãe abriram mesmo os meus olhos. Parei de sentir raiva e resolvi viver. Até a sensação de sufocamento acabou. Fui ao médico, e o cisto apresentou pequenina redução. Nem os médicos acreditam. E o melhor é que os resultados são positivos, cisto benigno. Em um mês, sou outra pessoa, até me alimento melhor. Sonho com ele de vez em quando, mas não acordo com aquela dor. Entendi minha responsabilidade em tudo isso. Acho que perdoei, pai João.

— A quem?

— A mim mesma. E, fazendo isso, consegui olhar de outro jeito para tudo. Parece mágica.

— Destravou a vida?

— Impressionante, pai! Impressionante!

— É dentro, *fia*, e não fora de nós, que estão as travas da vida.

— Parece milagre!

— Milagres acontecem, *fia*! Não do jeito que falam algumas religiões, como se fossem obras sem explicação ou sobrenaturais. Milagres acontecem quando entramos em comunhão com a natureza divina e assumimos a responsabilidade por nós mesmos diante do universo.

— E o senhor pode me dizer algo sobre como estão meus cordões com Carlos?

— Mais luminosos, *fia*. Com o tempo, o restante do asseio necessário vai se fazer. Isso é como uma obsessão de encarnado para encarnado.

Há pessoas conectadas umas às outras e nem imaginam em que teia de vibrações elas vivem. Existem pessoas, *muzanfia*, brigando na justiça por meio metro quadrado de terra, outros por centímetros do muro que invadiram sua propriedade, repletos de ódio, malquerença e disputa. Brigam por um pedaço de terra tão pequeno, que não daria nem para enterrá-los ao morrerem. Outros lutam por heranças, direitos e questões diversas, mantendo sua vida completamente paralisada, sem dar um passo. Aprisionam-se ao passado. Outras pessoas nem imaginam, mas estão presas a lugares, objetos e lembranças enfermiças. São os cordões energéticos que nos enlaçam ao foco do nosso interesse e do nosso afeto. As conexões são muitas. Os homens se preocupam com os trabalhos de magia que alguém possa lhes ter feito na condição de crianças espirituais, que se sentem lesadas sem assumirem a responsabilidade por suas próprias escolhas. Fazem pedidos, querem ajuda, solicitam que limpem o mal que alguém possa estar lhes fazendo, entretanto assim agem como se nada tivessem a ver com a construção de desafetos e inimizades que eles próprios geraram nos seus instantes de desrespeito, cobiça, inveja ou maldade. É assim que cada um de nós respira e se movimenta nas teias de energias que criamos e alimentamos. Só mesmo quando adquirimos consciência das repercussões de nossos sentimentos e atitudes na nossa vida e na vida alheia, é que reunimos condições para começar a burilar nossa conduta tendo por divisa o sublime ensino do Cristo de só fazer ao próximo aquilo que gostaríamos que nos fosse feito. É através dessas conexões de cordões energéticos que nos mantemos vinculados a pessoas e a contextos ao longo de milênios na fieira das reencarnações.

Os encerramentos de relações afetivas mal orientados mantêm as pessoas em vínculos de dor. Ainda somos muito inexperientes para encerrar o que precisa ser encerrado. Quando encerramos, fazemo-lo corroídos pelos sentimentos tóxicos. Entretanto, relacionamentos de amor nunca se encerram, *muzanfia*. Passado, presente e futuro se unem em torno dos passos de quem, algum dia, se enlaça pelo amor. Se o que permanece for o amor, depois de um encerramento de ciclo, seja pela morte ou por outro qualquer motivo, as pessoas se libertam e avançam. Se permanece o ódio e o veneno da mágoa, as pessoas ficam literalmente amarradas sob as constrições da neurose de controle, da ofensa e da tristeza persistente, quase sempre a caminho da depressão e de outras enfermidades.

Pais e filhos, maridos e esposas, familiares e parentes, afetos ocasionais, enfim, nas relações em que existe a edificação de laços de afeto consistentes e intensos, independentemente de sexo, raça e classes sociais, as pessoas edificam cordões energéticos. Esse é um dos capítulos mais importantes da medicina energética na ótica dos técnicos de saúde aqui do mundo espiritual.

As doenças atuais e os dramas da convivência muito raramente poderão ser esclarecidos e apresentar resultados mais satisfatórios se não contarmos com essa hipótese fundamental de trabalho e exame.

Fácil acusar as pessoas da nossa convivência pelas atitudes como se nada tivéssemos com elas.

Pais cobram de filhos condutas que nunca viveram. Mães exigem de filhas ações sob impulsos manipuladores. Maridos desejam esposas mais seguras. Todos esperam respostas de amor e não se aplicam ao amor que esperam dos outros.

Os cordões, *muzanfia*, se iluminam quando resolvemos desintoxicá-los do egoísmo corrosivo. Quem exige do outro espera mais que merece ou precisa.

Somente o autoamor é que nos promove à condição de tecer um escudo contra os excessos de nosso comportamento inchado de expectativas.

Quando nos amamos, somos amáveis com nossos limites e reunimos mais recursos de tolerância, respeito e compreensão com as diferenças alheias, evitando as típicas ilusões de mudança e adaptação das pessoas que amamos ao nosso interesse pessoal.

O casamento acidental e o provacional

"Do fato de pertencer ao Espírito a escolha do gênero de provas que deva sofrer, seguir-se-á que todas as tribulações que experimentamos na vida nós as previmos e buscamos?

Todas, não, porque não escolhestes e previstes tudo o que vos sucede no mundo, até às mínimas coisas. Escolhestes apenas o gênero das provações. As particularidades correm por conta da posição em que vos achais; são, muitas vezes, consequências das vossas próprias ações. Escolhendo, por exemplo, nascer entre malfeitores, sabia o Espírito a que arrastamentos se expunha; ignorava, porém, quais os atos que viria a praticar. Esses atos resultam do exercício da sua vontade, ou do seu livre-arbítrio. Sabe o Espírito que, escolhendo tal caminho, terá que sustentar lutas de determinada espécie; sabe, portanto, de que natureza serão as vicissitudes que se lhe depararão, mas ignora se se verificará este ou aquele êxito."

O livro dos espíritos, questão 259.

Reunimos uma equipe de aprendizes nas tarefas de preparação socorrista no Hospital Esperança. Naquela tarde, o tema visava ampliar as noções dos recém-integrantes sobre planejamento reencarnatório e carma. A apresentação estava sob a responsabilidade de Cornélius, trabalhador com larga experiência nos serviços de reencarnação.

Assim explanou o benfeitor:

Amigos, a escolha das provas antes da reencarnação obedece a critérios diversos para cada espírito. Na maioria dos casos, o reencarnante não participa de seu projeto de renascimento, ficando essa tarefa entregue aos chamados avalistas cármicos, almas corajosas e conscientes que amam e tutelam os caminhos de seus elos afetivos que regressam ao corpo físico.

A questão 259 de *O livro dos espíritos* diz que o espírito escolhe o gênero de suas provas, e isso é verdade para alguns casos, quando se trata de corações aptos a se integrarem ao seu projeto de retorno ao corpo físico, escolhendo conscientemente e com detalhes a nova vida e as melhores condições para sua libertação ante as faltas cometidas e pendências a resolver.

Porém, para a maioria, volto a ressaltar, a escolha das provas é um processo orientado pelos registros conscienciais que a própria alma imprime em seus corpos sutis, estabelecendo padrões emocionais em condições adequadas para as novas e necessárias vivências que são promissoras oportunidades de recomeço e de reeducação, sob a supervisão atenta e amorosa de tutores do bem e da luz.

É com base nesses registros que se estruturam as condições energéticas e perispirituais, perante as quais os avalistas cármicos intercedem em favor de bilhões de renascimentos na matéria densa traçando a programação reencarnatória.

Alguns critérios obedecem a medidas coletivas que alcançam a maioria das pessoas quando se projeta uma reencarnação, embora cada espírito viverá sua experiência particular e intransferível. Mesmo o projeto inicial, feito aqui na vida espiritual, pode sofrer mudanças em alguns itens diante de imprevistos, como aqueles relativos à condição social, ao local onde o espírito renascerá ou mesmo ao momento de vida dos futuros pais.

Portanto, o projeto de retorno ao corpo físico para a grande maioria das criaturas constitui apenas uma linha de medidas desejáveis para o bem, submetidas a alterações necessárias ou inesperadas desde o renascimento até a conclusão da reencarnação.

Hoje, entre os adeptos da visão imortal da vida, seja no espiritismo ou fora dele, existe uma improdutiva confusão entre os temas programação espiritual e carma.

O projeto de reencarnação prevê apenas o gênero das provas e pode também alcançar algum êxito quanto à cronologia das experiências planejadas. Carma, por sua vez, são as particularidades, a forma como o reencarnante reage à dor das experiências às quais é submetido.

A função do carma, como lei natural da vida, é construir experiências novas na busca de superar ou evitar o sofrimento, criando com isso novos aprendizados para o espírito, que progride e se liberta de imperfeições que lhe cabe superar.

É a roda da vida, que circula e novamente nos convoca, com suas leis sábias e perfeitas, para resolvermos nossa relação com os princípios de justiça, do progresso e amor nela inseridos. Carma não está fora, mas dentro de nós.

Vejamos um exemplo ilustrativo:

Carina magoou profundamente o coração de Irineu com uma traição depois de vinte anos de casamento. Irineu não encontrou forças para o perdão. Separaram-se, e cada um foi viver sua vida. Ele experimentou uma dor profunda, sentindo-se infeliz e perseguido por forças negativas da vida. Carina, por sua vez, que sempre se queixava do casamento, tornou-se uma mulher melhor e mais amável no novo relacionamento, embora lamentasse a forma como encerrou seu casamento. Irineu era um bom homem, mas descuidou-se do afeto, da atenção e da participação nos assuntos do lar, vivendo com profunda indiferença e adotando hábitos sociais nocivos em jogos e bebedeiras com amigos.

Examinemos a relação carma e planejamento. Carina planejou uma etapa no corpo físico para desenvolver o aprendizado da paciência com o próximo. Supervisionada por avalistas amoráveis, conscientizou-se antes do regresso que, pela ausência desse traço moral em sucessivas vidas, ela padeceu os desastres da imprudência e da precipitação, originando dramas graves na sua caminhada, com lesões afetivas e sociais a vários corações. Ela planejou que estaria em uma situação na qual nutrisse imenso encanto afetivo por alguém para que, durante um tempo considerável, exercitasse o perdão, a paciência e o amor visando a novos e mais amplos compromissos. Sua personalidade impulsiva desenvolveu um intenso hábito de irreflexão, e ela se acostumou a fugir de tudo que lhe criava embaraço e sensação de prisão. Fazia parte do seu roteiro que somente após sedimentar essa etapa por um período aproximado de duas décadas em aprendizado de resignação, paciência e sensatez, ela estaria apta a experiências mais amplas e libertadoras com os laços afetivos por ela lesados, que regressariam como filhos.

Na programação de Carina, havia três opções favoráveis para ingressar nas lições da paciência: o ambiente profissional, a permanência no lar dos genitores ou por meio de um laço afetivo mais consistente. Por conta de sua impulsividade, saiu muito cedo de casa, rejeitando os genitores, e não suportava ambientes de trabalho, que sempre lhe criavam uma desagradável sensação de inutilidade e bloqueio. Restou-lhe o casamento, no qual encontrou a sua oportunidade redentora.

Não estava nos planos de Carina o casamento com Irineu. Estava nos planos a possibilidade do casamento como escola de amadurecimento, conquanto ela poderia aprender as suas lições de outro jeito e em outro contexto. Portanto, o casamento com Irineu, denominado acidental, não fazia parte de seu projeto. O fato de ser chamado de casamento acidental não significa que seja um acidente ou um desastre no sentido de derrota ou de infelicidade. Apenas não foi programado. Acidental no sentido de circunstancial, obedecendo ao livre-arbítrio de ambos.

Ela permaneceu os primeiros dez anos do casamento enriquecida com as experiências do amor e do companheirismo de Irineu. Mesmo assim, era muito exigida na sua paciência e na construção de hábitos de prudência e de equilíbrio. Ela se entregava à experiência guardando no coração a certeza de que o caminho que seguia valia mesmo a pena em favor de seu bem. Todavia, depois que o companheiro adquiriu certas facilidades financeiras, seu comportamento mudou e, após quinze anos de casados, Carina foi levada aos extremos de esforços para aquisição de paciência e tolerância com o marido. Só não largou tudo por duas razões: primeiro, pela dependência financeira e. segundo. porque buscou nessa ocasião um centro espírita, no qual recebeu uma orientação muito clara da importância daquela prova para ela. Uma mensagem de esperança, que lhe deu novo ânimo e a fez enxergar o contexto por outra perspectiva. Em nenhum momento a mensagem referiu-se a compromissos com Irineu, e sim à oportunidade de crescimento que tinha ao lado dele. Tocada pelos conceitos da doutrina, permaneceu nas atividades daquela casa que lhe deu arrimo moral e forças novas para o momento crucial de sua vida.

A doutrina ajudou nesse sentido de amadurecer a concepção sobre sua conduta moral, mas definitivamente ela não queria para sua vida o homem indiferente que se tornou Irineu, depois de quinze anos de casados. Durante mais cinco anos levou sua prova com coragem e suportou todo gênero de humilhação e desrespeito.

Embora não tivesse adquirido a conquista da paciência plena, nesses vinte anos ao lado de Irineu, amadureceu o suficiente para perceber a importância de enfrentar os desafios da vida com calma, persistência e maior compreensão das limitações humanas. Carina adquiriu ao longo do tempo a sensibilidade para entender que a impulsividade lhe trazia enormes prejuízos e nunca a levava a lugar algum ou a vivências recompensadoras. Passou a ser mais atenciosa, reflexiva, cuidadosa, fiel e cúmplice de seus afetos e, consequentemente, um pouco mais paciente.

No caso de Carina, sua vida terrena foi organizada para contextos nos quais ela desenvolvesse a fidelidade e aceitação das diferenças e dos diferentes, e o seu carma é aquilo que a vida lhe devolveu dentro de si mesma, isto é, a dificuldade de se conter, a agressividade com tudo que lhe ameaçava a liberdade e uma profunda inquietude de alcançar acima de tudo os seus interesses pessoais, condições morais que são as causas profundas de sua impaciência.

Depois dos vinte anos no casamento, tomada ainda por impetuosidade, deixou Irineu em clima de traição. A forma como ela se separou não pertence ao seu planejamento, e sim ao seu carma. Ela novamente, pelo menos para decidir a respeito do encerramento de seu casamento, foi impetuosa e descuidada. O fato de isso ser o seu carma não quer dizer que ela teria de agir assim. Ao contrário, sua programação foi organizada objetivando exatamente a conquista da cautela, do respeito e da paciência. Deixemos claro, carma é aquilo pelo que respondemos dentro de nós; são os frutos do mal ou do bem que trazemos dentro de nós. Traçar nosso roteiro é a iniciativa para organizar melhores condições para que superemos o nosso carma e para que com ele aprendamos o que nos leva ao encontro da própria consciência.

Façamos uma sutil observação nesse caso ilustrativo:

O rompimento com o contexto da provação em que se encontrava Carina, fosse na profissão, com os genitores ou com um laço afetivo, estava previsto. Era possível, mas não como aconteceu através da traição. Isso nada mais é do que a particularidade da forma como a criatura reage às suas provas.

Para ampliar ainda mais nossas noções de planejamento, Carina, após a separação, bem mais madura e paciente, com quase quarenta anos no corpo físico, casou-

-se com o homem com quem se envolveu e teve três filhos. Essas crianças foram os corações mais lesados por ela em outras vidas por conta de sua desatenção e precipitação. Era agora uma mãe zelosa e cuidadora ainda lutando contra seus ímpetos de desistência e inquietação, entretanto bem mais comprometida em amar e aceitar. A vinda dessas crianças e o casamento com esse homem que também guardava laços estreitos com esses filhos estava dentro da programação de Carina, e isso denominamos casamento provacional.

A quem Carina deve? A Irineu? Aos três filhos? Carina estava em resgate com relação a quem?

Não há dívidas, há pendências. E pendências são resolvidas com novas posturas.

Não existem débitos, existem lições a aprender. Não resgatamos ninguém, resgatamos nossa própria consciência diante dos destinos humanos.

Não existem quedas, existem resultados. Carma é o resultado da roda de nossas experiências evolutivas, é reeducação perante nós mesmos, é agir de novas formas diante das prisões e desvios que nós criamos, buscando a libertação da consciência.

A reparação de nossos compromissos com as leis divinas só acontece pelas vias do amor, e não pelo sofrimento, como muitos supõem. Então, uma pendência só pode ser resolvida com atitude, com mudança de padrão, e não com dor. Tanto em relação a si como em relação ao outro, o resgate significa reconstrução de sentimentos e condutas. Resgatar a si é a melhor maneira de ajudar o outro. Para sabermos com proveito qual é o nosso aprendizado nos círculos dos relacionamentos, basta pensar nas dores que somos acometidos e perguntar: o que eu preciso aprender com essa situação? Para que estou nesse sofrimento? O que ele quer me dizer?

A pergunta a ser feita diante de nossos carmas nos relacionamentos não é "por que" essa pessoa está me causando esse sofrimento?. Quando fazemos essa pergunta, existem duas prováveis posturas: a primeira é querer saber coisas do passado que não fazem diferença nenhuma no presente. A segunda é a possibilidade de estar transferindo a alguém a responsabilidade pela dor que estamos experimentando.

A pergunta mais apropriada diante de nossos carmas é "para que" eu estou passando por essa experiência com essa pessoa? Quando interrogamos dessa forma, colocamos o foco no presente e nos responsabilizamos pelo que acontece dentro de nós.

Casamento, profissão, família, assim como quaisquer experiências na escola terrena, são cursos intensivos, para desenvolvimento de habilidades, superação de traumas e aquisição de novos patrimônios morais em direção ao bem e à luz.

Etapas emocionais da reforma íntima

14

> *"Reconhece-se o verdadeiro espírita pela sua transformação moral e pelos esforços que emprega para domar suas inclinações más."*
>
> O evangelho segundo o espiritismo, capítulo 17, item 4.

O aprimoramento espiritual é como uma semeadura com etapas e harmonia determinadas. Plantio, germinação e frutificação nos terrenos da alma obedecem a princípios de ordem e continuidade.

A reforma íntima é um campo de esperanças que tem como principal condição de desenvolvimento o terreno psíquico e emocional, que são expressões fiéis dos recursos e necessidades do espírito.

Para auxiliar na compreensão desse assunto e também visando oferecer subsídios de autoavaliação, vamos construir uma linha didática em seis etapas do progresso da reforma íntima, considerando que para cada pessoa as variações serão infinitas. Portanto, nossas anotações nada têm de exatas, definitivas ou conclusivas, sendo apenas referências para o autoexame. As seis etapas se interpenetram e interagem, apresentando-se com riquezas e nuances próprias a cada pessoa.

1º etapa - Projeção tóxica

A projeção é um mecanismo psicológico necessário ante o incômodo das mudanças propostas pelo conhecimento espírita que nos orienta à renovação íntima.

Com esclarecimento, sentimo-nos convocados a sair da acomodação, de forma que isso é ameaçador e deslumbrante ao mesmo tempo. Gera medo, mas também estímulo para avançar. Nesse momento, surge uma tensão emocional resultante do conflito entre o que estamos aprendendo, o que sentimos e o que vivemos na prática.

Como ainda é difícil identificar em nós próprios o que estamos aprendendo, a projeção é uma forma de alívio. Enxergamos nos outros, com maior intensidade e facilidade, o que não queremos reconhecer integralmente em nossa vida pessoal.

Durante um período, essa projeção é benéfica e faz parte do processo mental que se organiza em favor da nossa sanidade, porque seria danoso olhar para todas as nossas imperfeições e corrigi-las de uma só vez. Com o tempo, essa projeção torna-se tóxica, caminha para a fuga e pode nos trazer um estado interior de intenso mau humor e inadequação.

2º etapa - Identificação intelectual das imperfeições

Nessa etapa, a projeção das nossas imperfeições no outro vai cedendo lugar a um reconhecimento, a um desejo, inicialmente intelectivo, de se examinar. Começamos a olhar com mais coragem para as limitações pessoais, ainda que em níveis superficiais, mas, nem por isso, menos importantes.

Informações adquiridas em livros, palestras e outras formas de assimilar o saber são as linhas que orientam essa etapa, na qual ainda não incorporamos com profundidade o que já sabemos. Entretanto, há uma fermentação de ideias que cria uma pressão interior para mudanças.

Esse conhecimento, aliado com o mecanismo da projeção tóxica, costuma gerar comportamentos repressivos em relação a si, ao próximo e sobre o que sentimos a respeito das vivências dessa etapa.

Reconhecer as imperfeições através do autoconhecimento é o primeiro grande passo de progresso na reforma interior. Contudo, quando usamos autoconhecimento para reprimir e acusar a nós mesmos e ao próximo, não atingimos sintonia com a proposta de desenvolvimento moral e espiritual à luz do Evangelho e do espiritismo.

A forma como aplicamos o autoconhecimento é muito importante para a próxima etapa. Quanto mais severidade e autocobrança, menos possibilidade de acessar de forma construtiva o nosso mundo interior.

3ª etapa - Reconhecimento emocional das imperfeições

Essa é a etapa em que começamos a olhar para dentro com mais e melhor intensidade, porque iniciamos a elaboração da vida emocional com mais foco. Mais do que conhecimento, nessa etapa importa-nos o que sentimos a respeito do que sabemos.

Além do medo e da curiosidade das duas etapas anteriores, alia-se agora um clima de dor psicológica muito intensa, a dor do crescimento. E junto dela, na maioria dos casos, vem a dor adicional do martírio, porque ainda não sabemos como gerenciar esse mundo emotivo.

Muitas pessoas, a título de autoconhecimento, penetram em sua vida emocional e começam um verdadeiro autofuzilamento, questionando sem piedade a si mesmo e entregando-se ao clima da baixa autoestima.

Por essa razão é que a próxima etapa constitui o coração da reforma íntima: o desenvolvimento de condições para a compaixão e o acolhimento amoroso de si mesmo.

4º etapa - Desenvolvimento da habilidade de contato com a sombra

A sombra é aquela parte de nosso inconsciente que desconhecemos e para a qual é destinado todo o conteúdo psíquico que não conseguimos elaborar conscientemente. Apesar de encontrar-se no inconsciente, seu poder de influência e ação em nossa vida consciente é maior do que podemos imaginar. É nessa sombra que está nosso homem velho, nossas tendências e nossos hábitos que necessitam ser transformados.

Quem inicia o autoenfretamento terá de se munir com a habilidade de lidar com seu sombrio à luz do autoamor.

A angústia da melhora torna-nos focados no que sentimos. Isso nos induz a adquirir condições de nos relacionar com esse sombrio de forma inteligente e progressista, desenvolvendo nossa inteligência emocional.

A reforma íntima não significa tirar algo ruim de nós e colocar algo melhor no lugar, mas descobrir o que de bom já está em estado adormecido na intimidade profunda e dinamizar esse(s) recurso(s); significa ter consciência de valores que podemos educar.

Com inteligência emocional, seremos compassivos com nossas tendências, usaremos de autoamor, que é a primeira condição de saúde mental e espiritual para realizar qualquer esforço de crescimento para construir o homem novo. Com autoestima, avançamos dentro da realidade. Em contrapartida, quando brigamos com nós mesmos, caminhamos com ilusões e cansaço.

É nesse campo do esclarecimento que os nossos grupos necessitam mergulhar com seriedade para construir programas de estudos lúcidos a respeito de como se tratar com bondade à luz do espírito imortal.

5ª etapa - Renovação de atitudes

A renovação de atitudes acontece de forma automática quando gerenciamos com habilidade o que está dentro de nós, e a etapa anterior é o alicerce dessa mudança efetiva.

Querer fazer reforma no comportamento sem aprender a lidar com a sombra é querer queimar uma etapa natural no processo de crescimento espiritual. Quanto mais aprendemos sobre as forças inconscientes, mais poder de renovação adquirimos.

Quando estamos em paz com nossa sombra, surgem a lucidez e a serenidade, e, através delas, reunimos melhores condições para três atitudes básicas para nos transformar: fazer escolhas mais conscientes, adiar gratificações sem tombar nas ilusões que nos atraem e ser mais adequado em nossas condutas em cada situação que a vida nos apresenta.

Uma pessoa em paz interior está mais protegida dos efeitos tóxicos das atitudes de irritação, do impulso, do desrespeito, do abuso e de tantas outras ações que podem perturbar nosso equilíbrio.

Kardec foi brilhante ao conceituar: "Reconhece-se o verdadeiro espírita pela sua transformação moral e pelos esforços que emprega para domar suas inclinações más.".

A transformação interior é individual, processual e singular. Violentar esses quesitos é abrir caminho para a hipocrisia. Por essa razão, será muito valoroso que os indivíduos de nossas comunidades se organizem com muito respeito e sinceridade uns com os outros para não darmos mais valor a padrões de ser do que à autenticidade de que cada um é portador.

6º etapa - Singularidade

Como diz Jung: "Nenhuma circunstância exterior substitui a experiência interna. E é só à luz dos acontecimentos internos que entendo a mim mesmo. São eles que constituem a singularidade de minha vida."[1].

O futuro acena para a singularidade humana e não para cópias uns dos outros. O importante é florirmos como somos e onde fomos chamados. Quanto mais padrão, menos legitimidade; quanto mais uniformidade, menos criatividade; e quanto mais normas, menos autenticidade.

---

1 JUNG, C.G. Entrevistas e encontros. São Paulo: Cultrix.

Singularidade é o coroamento da reforma íntima. É, por assim dizer, o seu grande objetivo: ser quem somos, ser o plano de Deus na nossa caminhada individual.

15

Você tem medo de perder?

"Que é o que dirige o Espírito na escolha das provas que queira sofrer?

Ele escolhe, de acordo com a natureza de suas faltas, as que o levem à expiação destas e a progredir mais depressa. Uns, portanto, impõem a si mesmos uma vida de misérias e privações, objetivando suportá-las com coragem; outros preferem experimentar as tentações da riqueza e do poder, muito mais perigosas, pelos abusos e má aplicação a que podem dar lugar, pelas paixões inferiores que uma e outros desenvolvem; muitos, finalmente, se decidem a experimentar suas forças nas lutas que terão de sustentar em contato com o vício."

O livro dos espíritos, questão 264.

Uma pessoa que tenha desencarnado sem ter resolvido a pendência do medo de perder pode regressar à reencarnação com a vida mental atormentada por uma constante sensação de tragédia. Medo de perder o dinheiro, o filho, o emprego, o laço afetivo, os bens perecíveis.

Diante dessa dor interior, muitas pessoas iluminadas com o conhecimento espiritual acreditam que a tormenta desse medo deve-se a comportamentos de abuso do poder ou da riqueza em vidas anteriores. Entretanto, um número muito grande de pessoas experimenta essa prova por outras razões. Uma delas é a conduta de revolta e inveja cultivada longamente diante do sucesso alheio. São as pessoas que não arriscam ou não se esforçam e sempre atribuem o êxito dos outros a facilidades que, em verdade, elas gostariam de possuir para alcançarem seu sucesso pessoal.

Essa personalidade invejosa e revoltada costuma se esconder na máscara da prudência e do desapego. Essas pessoas normalmente lidam muito mal com os bens materiais e costumam ter atitudes confusas e insensatas no uso desses recursos.

Um juízo apressado poderá lhes conferir a condição de pessoas com alto índice de evolução espiritual por conta da postura de indiferença ao crescimento e ao progresso, todavia, por trás das máscaras de prudência e desapego, quase sempre se encontra um sombrio mental de raiva e mágoa de si mesmo e uma suposta resignação passiva por não ter superado seus medos.

São pessoas acentuadamente reativas ante as ameaças reais ou imaginárias de perda e que gastam enorme energia para controlar pessoas e acontecimentos com a ilusão de que assim jamais passarão pelas experiências da perda. Elas preferem sua ilusória condição de segurança na acomodação.

Diante do medo de perder algo ou alguém, as perguntas que temos de fazer são: "o que essa pessoa ou esse recurso representa na minha vida mental?" e "Sobre que danos reais o medo quer nos avisar caso venha a acontecer a perda real?".

Analisemos algumas possíveis representações mentais para o medo.

Para muitos pais, os filhos representam um troféu de boa moral. Quase sempre nisso reside o medo de perder os filhos para a depravação.

Para muitos profissionais, o emprego representa a fórmula do sucesso e da realização. Assim pode nascer o medo do desemprego.

Para muitos maridos, a esposa representa a pessoa mais importante de sua vida. É por esse caminho que brotam as fantasias de traição.

Para muitas esposas, o marido representa a fonte máxima de segurança. Dessa forma, surgem muitos medos de autonomia e independência.

Para muitas pessoas, um bem material representa a expressão de sua capacidade pessoal. Essa representação assombra a mente com medos de roubo e violência.

Para muitos espíritas, os conceitos gerados pela cultura doutrinária representam fonte de poder e orgulho pessoal. Isso pode levá-los a acreditar em medos de fracasso que limitam a coragem de serem autênticos e de romperem com os modelos culturais vigentes.

Por trás de cada medo de perder existe um indício da alma que aponta o que necessitamos rever, o que representa aquilo que tememos perder na nossa vida. Durante um tempo na vida física é necessário e aceitável que tais medos façam parte da rotina. No entanto, o amadurecimento emocional, em certo momento da evolução, nos convocará a enfrentar nossos medos pelo bem de nossa própria sanidade e de nossa libertação.

Carma é isso: enfrentar o nosso sombrio, entender-lhe as mensagens profundas e iluminá-las com novas respostas. Enfrentando nosso carma interior, encontramos a luz que o medo pode estar nos indicando.

No medo do fracasso, encontram-se os talentos para a legítima vitória.

No medo da inutilidade, está o recado de que você tem algo rico a realizar.

No medo da rejeição e do abandono, está o chamado para que você se aproxime mais de você.

No medo de perder, está o convite para deixar a vida fluir com o melhor que ela tem.

No medo da submissão, está a força indicadora de sua capacidade independente.

No medo de errar, você expressa seu desejo de sempre aprender.

Carma não se encerra na dor, e sim no amor. A dor é apenas aviso e fator emocional de indicação de que podemos alcançar o amor.

Você tem medo de perder?

Tome essa emoção como um convite da vida para voos inimagináveis de força, realização e paz.

O amadurecimento emocional dos médiuns

16

> *"A mediunidade não implica necessariamente relações habituais com os Espíritos superiores. É apenas uma aptidão para servir de instrumento mais ou menos dúctil aos Espíritos, em geral. O bom médium, pois, não é aquele que comunica facilmente, mas aquele que é simpático aos bons Espíritos e somente deles tem assistência. Unicamente neste sentido é que a excelência das qualidades morais se torna onipotente sobre a mediunidade."*
>
> O evangelho segundo o espiritismo, capítulo 24, item 12.

O aeroporto estava repleto. Alexandre, médium e palestrante, esperava um voo que o levaria a uma cidade do Sul do país para uma apresentação.

Em dado momento, em meio a tanta agitação externa, ele foi sendo tomado por um nível acentuado de concentração, fechou os olhos e foi se abstraindo do ambiente até que ouviu uma voz rouca dizendo:

— Essa moça com vestes amarelas à sua frente é minha sobrinha. Meu nome é Humberto e queria lhe dizer algumas palavras. Será que posso contar com você?

Alexandre, que já estava em estado de transe profundo, abriu os olhos, procurou e viu a moça de seus quinze anos aproximadamente, que trazia um olhar triste e introspectivo. Fechando os olhos novamente, ele dirigiu-se ao espírito dizendo:

— Posso saber do que se trata, Humberto?

— Essa moça foi tremendamente prejudicada por mim. Eu me suicidei há quatro meses, depois de usar de forma indevida as economias de uma herança que pertencia a ela até chegar à falência. Não suportei a culpa e os desastres materiais. Deixei minha esposa, dois filhos e ela com problemas graves para resolver. Diante de tantas perdas, ela está pensando em tomar a mesma atitude e vir ao meu encontro. Quer suicidar-se.

— Você a enganou?

— Não, não se trata disso. Diante da morte de meu irmão, e ela sendo menor de idade, fui nomeado como seu tutor e, portanto, administrador de seus bens. Não fiz nada com más intenções, mas, agindo com imprevidência, qual criança inexperiente, me embaracei com o usufruto da fortuna deixada pelo pai dela. Administrei mal, fui perdendo dinheiro, envolvendo-me com ganhos ilícitos e acabei mal.

— O que você gostaria de dizer a ela?

— Ela se chama Sara. Apenas escreva essa pequena frase em um papel: "A vida sempre tem caminhos que desconhecemos, e Deus jamais deixará de nos apresentar aquele que será o melhor para nós." Era um mantra que ensinei a ela e por várias vezes nós o repetimos em nossas conversas no lar. Chegamos a pintar juntos essa frase em uma pequena tábua, que hoje se encontra na sala de minha casa, a pedido dela. Depois de ler, por caridade diga a ela que infelizmente o caminho que escolhi não é um desses caminhos de Deus.

— Só isso?

— Agradeço. Não posso dizer mais nada segundo o senhor que me trouxe até aqui.

— Posso saber quem lhe trouxe?

— O nome dele é Cornélius.

Alexandre rogou ajuda espiritual e não vacilou. Sentindo um pouco de mal estar devido à aproximação daquele espírito ainda tão enfermo, resolveu verificar o que podia ser feito. Por acaso, havia um lugar vago ao lado de Sara que parecia destinado ao médium, considerando a aglomeração naquele local. Em clima de profunda convicção e ligando seu coração com a fé, chegou perto da moça e disse:

— Seu nome é Sara?

— Sim. Você me conhece?

— Não, Sara, não conheço. Eu peço sua licença para lhe relatar um fato, com todo respeito. Não peço que acredite, apenas que me ouça, pode ser?

— Sobre o quê?

— Eu sou médium e percebi que você perdeu uma pessoa querida recentemente, não foi?

— Sim, meu tio. Mas já tem quatro meses. Por quê? - perguntou curiosa.

— Eu o percebi aqui no aeroporto e ele lhe mandou essa frase por escrito. Faz algum sentido para você?

Alexandre apresentou a frase escrita às pressas em um pedaço de papel. A moça leu a frase e seus olhos se encheram de lágrimas. Passado algum tempo, perguntou:

— Ele está aqui? Quem é você?

— Meu nome é Alexandre. Seu tio esteve comigo há alguns minutos e já se foi para o além. Ele pediu o favor de lhe enviar essa frase e que eu afirmasse para você que o caminho que ele escolheu não é um desses caminhos de Deus que o mantra de vocês indica.

****

Repitamos um trecho da frase de apoio anterior: "Unicamente neste sentido é que a excelência das qualidades morais se torna onipotente sobre a mediunidade.".

Não é a mediunidade que qualifica o médium, e sim suas qualidades morais e emocionais.

Os médiuns com Jesus são chamados a todo instante para o serviço do bem incondicional. Não há lugar, não há hora, não há circunstância na qual esse bem não possa ser feito. Uma singela oração em qualquer instante ou ambiente é um facho de luz abrindo frestas para que a bondade celeste penetre espalhando bênçãos.

Com relação à disponibilidade de servir junto aos amigos espirituais, Allan Kardec nos diz:

> "Acrescentemos, todavia, que, se bem os Espíritos prefiram a regularidade, os de ordem ver-

dadeiramente superior não se mostram meticulosos a esse extremo. [...] Mesmo fora das horas predeterminadas, podem eles, sem dúvida, comparecer e se apresentam de boa vontade, se é útil o fim objetivado."[1]

Os chamados do mundo espiritual para fins úteis obedecem a uma lógica distinta à dos homens que se encontram reencarnados. Os médiuns afeiçoados ao serviço iluminativo com Jesus, conscientes dessa verdade, se propõem a apresentar as condições morais que lhes permitam ser canais de paz e orientação, amor e consolo.

O desejo de servir, sem dúvida, é a qualidade moral indispensável a essa realização superior nas lições sagradas da mediunidade. E o desejo de servir consiste em ter o coração aberto à dor e às necessidades, facultando, por efeito, o estado de disponibilidade psíquica, que podemos comparar à antena emissora e receptora possibilitando ao médium uma contínua interação com o mundo astral que o rodeia.

Nos Atos dos Apóstolos, capítulo nove, versículo dez, encontramos esse exemplo de prontidão em Ananias ao dizer: "E havia em Damasco um certo discípulo chamado Ananias; e disse-lhe o Senhor em visão: Ananias! E ele respondeu: Eis-me aqui, Senhor."

"Eis-me aqui, Senhor" é a disponibilidade para ser útil. Médiuns em estado íntimo de quietude interior oferecem esse solo mental fértil sobre o qual são plantadas as

---
[1] *O livro dos médiuns*, capítulo 29, item 333.

sementes enriquecedoras que multiplicarão os frutos dos planos superiores. Sem quietude não existe disponibilidade mental, sem disponibilidade mental, não existe sintonia, e sem sintonia, não há plantação mediúnica.

Essa quietude na vida mental é o resultado do amadurecimento psíquico e emocional dos medianeiros. Ela não pode ser atingida apenas com conhecimento e atividade doutrinária, mas, à medida que o servidor da mediunidade avança na solução de suas lutas interiores, adquirindo a habilidade de manter seu foco espiritual na luz, da qual todos somos portadores como filhos de Deus, seu poder de percepção e sua força de atuação na vida que o rodeia se dilatam, sem lhe causar danos ou alterações prejudiciais.

A exemplo do samaritano narrado na parábola evangélica, ele, o médium, desce a estrada de Jerusalém para Jericó sem ser assaltado por suas próprias mazelas. Desce, como diz o texto, "em viagem", com propósitos definidos de voltar ao seu lugar de origem, Jerusalém, que representa a cidade dos valores nobres, ao contrário de Jericó, a cidade do comércio e dos bens perecíveis. O samaritano foi em viagem, enquanto o homem assaltado, o Levita, e também o Sacerdote "desciam", ou seja, perdiam sua condição interior na derrapada para os interesses sombrios.[2]

Para que os médiuns consigam essa condição de descida "em viagem", com propósitos elevados e sincronizados com as esferas da luz e da libertação, torna-se

---
[2] Lucas 10:30-37.

indispensável os cuidados com sua jornada de amadurecimento emocional. Esta pode ser resumida em três etapas distintas e que se integram entre si formando o estado interior de quietude: autoconhecimento, autotransformação e autoamor.

Pelo autoconhecimento, o médium descobre e examina o mapa de suas sombras interiores e da sua luz ofuscada à espera de uma abertura para irradiar paz, cura e libertação.

Pela autotransformação, o médium se aplica a explorar o território de seu próprio aprimoramento, escalando novos hábitos, desbravando os terrenos da riqueza emocional e aplainando novas conquistas na direção de sua consciência.

Pelo autoamor, o médium encontra-se consigo próprio, preenchendo-se de estima, alegria, entusiasmo e discernimento, o que lhe permite um novo olhar sobre a vida e sobre as pessoas que o rodeiam seja onde for.

17

O tema espírita mais urgente no século XXI

"Eis que vos dou poder para pisar serpentes e escorpiões, e toda a força do inimigo, e nada vos fará dano algum."

Lucas 10:19.

Uma singela fábula[1] narra que vários discípulos dispostos a realizarem o aperfeiçoamento espiritual se reuniram com o mestre para receberem as orientações sobre como alcançar seus objetivos sublimes.

Foram ministrados esclarecimentos iluminados aos aprendizes acerca dos diamantes encantados que possuíam a magia de libertar a consciência do jugo da ilusão.

Depois de muito esclarecimento e diálogo, chegava o momento da prática.

Foram todos para um lugar onde existiam vários lagos com o nome de cada um dos discípulos. O mestre esclareceu que quem desejasse se aprimorar tinha de mergulhar em seu lago para garimpar os diamantes encantados depositados no fundo de cada um deles, que estavam tomados por crocodilos e animais peçonhentos.

Os discípulos olharam para aquela cena, sentiram medo e perguntaram:

---

[1] Nota da editora: essa fábula é narrada de forma completa no livro *Fala preto-velho*, do autor espiritual Pai João de Angola, Editora Dufaux.

— Mestre, por que enfrentar tamanhos perigos?

— Dentro de cada lago existem as suas próprias criações, frutos de suas escolhas milenares. Somente lidando com os resultados de sua liberdade vocês conseguirão alcançar os diamantes encantados. Quem deseja aprimorar começa assumindo sua realidade.

— O que vai nos proteger quando pularmos no lago? Os animais podem nos destruir.

— Vocês serão tratados por eles em conformidade como tratarem a si mesmos. A vossa proteção é o amor que tiverem para convosco. Se usarem a couraça protetora do autoamor, ficarão imunes às ameaças.

Os discípulos compreenderam que cabia a cada um deles construir sua própria proteção diante dos desafios justos que os aguardavam.

Assim como nessa fábula, a aplicação da reforma íntima à luz do espírito imortal compreende o dever de mergulharmos nas zonas profundas de nossa mente em busca do tesouro divino de Deus depositado em nós. Evidentemente, para que cheguemos a esse tesouro, vamos nos deparar com todas as criações mentais milenares nas faixas sombrias do inconsciente.

A necessidade mais emergente de quem se lança corajosamente a essa missão pessoal é sentir-se protegido.

Aliás, a proteção parece ser a mais básica das necessidades humanas nos dias atuais, diante de tantas ameaças e abusos. A humanidade terrena clama por um colo protetor de um Ser maior que lhe proporcione um estado interior de segurança. O medo é o sentimento mais presente na Terra e, por isso, é gritante a necessidade de se sentir protegido.

Nesse contexto, a religiosidade é um dos caminhos na busca de amparo: a fé tornou-se a armadura de segurança e equilíbrio para bilhões de espíritos no planeta. Lamentavelmente, em nossa experiência milenar, não nos educamos para dentro, mas para fora. A proteção, nessa ótica, foi orientada para o exercício de práticas, movimentos devocionais, louvores e rituais. Os templos estão lotados de pessoas em busca de amparo, abrigo e esperança. Nessas condições, verificamos um inegável dilema que tem se instaurado em muitas agremiações: de um lado, multidões clamando por proteção dos guias e acolhimento dos encarnados e, de outro, muitos companheiros de ideal ocupados em tão somente esclarecer e transmitir conteúdos doutrinários. Há uma escassez nas habilidades de acolhimento afetivo e humano nas relações, existe uma falta de amor a si para que o amor ao próximo seja uma expressão de luz na convivência.

No início do século XX, os pioneiros do espiritismo no Brasil enfrentaram o desafio de esculpir-lhe a feição fraterna, retirando-o dos domínios exclusivos da ciência para as iniciativas do amor em favor do semelhante.

Com essa conquista, a caridade passou a ser a alma da doutrina espírita, e o amor ao próximo foi a maior vitória da comunidade espírita.

Nessa nova virada de século, os condutores dos destinos do espiritismo na vida espiritual clamam pela adoção de uma nova postura que possa transformar o centro espírita do século 21 em escola promotora do autoamor. Ensinando as pessoas a se amarem, teremos corações mais robustos na fé, mais empreendedores nas práticas e mais amorosos uns com os outros perante as diferenças. E, como consequência, quem se nutre de mais fé sente-se protegido, e quem tem coragem para empreender nas práticas está abrigado na motivação contínua de aprender e crescer. A amorosidade na relação é fonte de leveza e paz espiritual.

Somente o amor ao próximo não está garantindo a sensação de preenchimento e sentido para viver. Muitos corações idealistas, apesar de dotados de uma coragem exemplar e de um desejo dilatado de servir, carregam no coração um vazio que os desorienta e abate.

A proposta de Jesus é pedagogicamente perfeita: amor ao próximo, mas também amor a si.

Quem avança para fazer o bem ao próximo sem o aprendizado do autoamor corre enorme risco de se atolar na experiência milenar do personalismo. A tarefa, nesse caso, ou o bem que é espalhado pode alimentar ilusões viciantes de grandeza e importância pessoal.

Na fábula, cada aprendiz tinha o seu próprio lago e competia a cada um a descoberta de seus próprios diamantes e o enfrentamento de suas ameaças pessoais. Ou seja, amar não é mergulhar no lago alheio e realizar o trabalho do outro. Agindo assim, ultrapassaremos os limites das forças, tecendo uma teia vibracional na qual nos fazemos vítimas de nós mesmos e das energias alheias. Além disso, quem se ocupa em fazer o trabalho que a outrem compete costuma esquecer o seu próprio lago, a sua própria garimpagem.

Só o poder do autoamor consegue o que ensinou Jesus: "Eis que vos dou poder para pisar serpentes e escorpiões, e toda a força do inimigo, e nada vos fará dano algum.".

Proteção energética na reforma íntima

18

"Se tendes amor, possuís tudo o que há de desejável na Terra, possuís preciosíssima pérola, que nem os acontecimentos, nem as maldades dos que vos odeiem e persigam poderão arrebatar. Se tendes amor, tereis colocado o vosso tesouro lá onde os vermes e a ferrugem não o podem atacar [...]."

Um espírito protetor (Bordéus, 1861).

O evangelho segundo o espiritismo, capítulo 8, item 19.

Quando uma casa vai ser reformada, procura-se tomar várias precauções para que a desordem temporária não afete a segurança e o bem-estar dos moradores e operários. A reforma íntima igualmente solicita prevenção e cuidados de todos nós para que os movimentos emocionais não fragilizem a nossa proteção energética e mental.

Muitos seguidores do espiritismo, ao assumirem cumplicidade com sua melhoria moral, expõem-se ao domínio da raiva dilacerante. Esses espíritos sentem raiva por serem quem são e fazem-se adversários de si próprios, entrando em conflitos e degastando-se em profundas frustrações por não conquistarem suas intenções de progresso tanto quanto gostariam. Exigem de si mais do que aquilo que dão conta, criando um clima de terrorismo emocional.

Essa conduta favorece uma vulnerabilidade às influências tóxicas da vida, perturbando a vitalidade da aura e dos corpos espirituais sutis. Agir dessa maneira consigo mesmo é como fazer uma reforma na casa sem as precauções contra riscos de acidentes, descuidando de planejar e prevenir possíveis dissabores e acontecimentos infelizes.

O que torna uma estrutura energética e mental frágil e acessível às influências espirituais ou ambientais vem de dentro da própria pessoa, na forma inadequada com que ela se organiza internamente. O nosso maior inimigo, portanto, está em nossa própria vida interior, concretizando-se em nossas maneiras de lidar com o que acontece na vida psíquica e emocional. Dependendo da forma como encaramos os acontecimentos, fragilizamos a nossa proteção energética e possibilitamos laços espirituais parasitários.

Entretanto, por uma questão cultural, muitos companheiros da doutrina, habituados a examinar a vida emocional sob a perspectiva das interferências espirituais, deslocam esse foco de ordem emocional para o terreno das obsessões, supondo-se vítimas de nocivas atuações de espíritos do mal. Essa forma de exame foi responsável por desenvolver em vários grupamentos doutrinários uma supervalorização da atuação dos obsessores e um ofuscamento do entendimento sobre os mecanismos dos sentimentos e pensamentos no comportamento humano. Os que "estão fora" só se tornam fatores agressores quando nós próprios descuidamos de nossa parte no processo de harmonia interior e proteção.

Uma reforma íntima à luz do amor não só orienta o rumo a seguir mas também deve determinar os cuidados necessários de defesa nessa grandiosa e lenta jornada transformadora.

Temos dentro de nós o mais poderoso escudo emocional de proteção e segurança pessoal, e ele se chama autoamor. Acolher amorosamente a nós mesmos é como tecer uma manta energética que nos assegura bem-estar, saúde, alegria e prosperidade e imuniza-nos contra as mais diversas formas de exploração de forças, favorecendo a ordem na vida interior durante o processo de aprimoramento.

Seria muito oportuno que as casas de espiritismo cristão se devotassem ao estudo sério das principais emoções gestoras de contaminações, explorações, invasões e ataques parasitários que formam os quadros de obsessão complexa e especializada para educar seus médiuns, trabalhadores e simpatizantes a entenderem que somos os únicos responsáveis por aquilo que nos acontece.

Existem também diversas condutas na vida que são condições fecundas para instalação das vinculações espirituais, energéticas e mentais saudáveis e libertadoras.

No intuito de colaborar com essa iniciativa de gestar conteúdos reflexivos, façamos uma pequena lista de exercícios e aprendizados emocionais importantes na tarefa de melhoramento espiritual a fim de que evitemos tropeços, desgastes e desordens que possam nos deixar vulneráveis energética e mentalmente nos aprendizados da reforma íntima:

» **Evitar as expectativas muito elevadas.** Elas costumam ser a causa principal da presença da mágoa, e uma pessoa magoada é forte candidata a ingerir os venenos da decepção, do ódio e da tristeza, estados íntimos favoráveis às agressões energéticas. Podemos esperar o melhor, mas com aceitação e perdão quando não conseguirmos atingir as metas que tanto almejamos.

» **Ter um olhar educativo para os conflitos.** Necessitamos interpretar os conflitos como sintoma íntimo de que temos algo essencial a resolver pelo nosso bem. Estados de conflitos íntimos persistentes são geradores de angústia, a emoção que alerta para a existência da desorganização interna, que, por sua vez, é uma torneira totalmente aberta para a queda repentina de vitalidade. O conflito é a mola de propulsão para avançarmos na direção da nossa melhoria e amadurecimento.

» **Aceitar que ninguém consegue ter controle sobre tudo na vida.** O esforço neurótico de controlar é um exaustor da energia da serenidade e um produtor de medos incontroláveis. A vida é um fluxo que nos convida a sincronizar nossa mente com o ritmo dos acontecimentos e da realidade.

» **Observar a irritação com um novo olhar.** Quando a irritação surge na vida emocional, ela está emitindo um recado do coração que diz mais ou menos assim: "Você está ultrapassando seus limites, algo está em desacordo com suas necessidades. Observe, reflita e corrija o que está acontecendo.". A irritação é um curto-circuito no sistema defensivo descompensando seu equilíbrio de forças na aura, e os caminhos energéticos da existência só serão abertos quando houver a substituição das frases indicadoras de ausência nos limites: "tenho que...", "deveria ter...", por essas outras formas libertadoras: "eu escolhi...", "eu necessito...", "eu quero...". A inconsciência de limites promove exaustão de energia vital, fundamental para o equilíbrio do sistema nervoso. Respeito aos limites é um processo de educação de nossas forças e habilidades que alinham nossa mente ao equilíbrio e à serenidade.

» **Evitar fixação prolongada nos aspectos sombrios.** Ao destacarmos os aspectos desagradáveis que carregamos ou aqueles que fazem parte da personalidade das pessoas com quem convivemos, fortalecemos esses traços em nós ou passamos a carregar as mesmas dores e necessidades das pessoas que criticamos, instaurando-se o clima da descrença, do pessimismo e da animosidade. O exercício de olhar a vida de uma forma mais otimista e destacar o luminoso na vida e nas pessoas é uma atitude imunizadora em nosso favor, metabolizando fluidos elevados responsáveis pela serenidade na vida psíquica.

Esses cuidados, e muitos outros que poderemos movimentar na caminhada espiritual de crescimento, são atitudes de amor para conosco. São preventivos contra repercussões desfavoráveis de nossas necessidades morais.

Como assevera nossa referência de apoio: "Se tendes amor, tereis colocado o vosso tesouro lá onde os vermes e a ferrugem não o podem atacar [...]". Esse lugar onde os vermes da maldade e a ferrugem da acomodação não podem atingir chama-se paz íntima, resultado inevitável de quem vibra nas faixas luminosas do autoamor.

19

Relações cármicas que curam

> *"[...] a lei de amor constitui o primeiro e o mais importante preceito da vossa nova doutrina, porque é ela que um dia matará o egoísmo, qualquer que seja a forma sob que se apresente, dado que, além do egoísmo pessoal, há também o egoísmo de família, de casta, de nacionalidade. Disse Jesus: 'Amai o vosso próximo como a vós mesmos.'. Ora, qual o limite com relação ao próximo? Será a família, a seita, a nação? Não; é a Humanidade inteira."*
>
> Fénelon (Bordéus, 1861).
> *O evangelho segundo o espiritismo, capítulo 11, item 9.*

No reino da mente, as crenças são programações indutoras dos modos de sentir e pensar. Por meio de hábitos milenares, elas condicionaram estados emocionais e psicológicos que respondem pelo que a criatura sente e pensa na rotina de seus dias.

O estado de baixa autoestima ou desamor a si mesmo é um exemplo desse automatismo, induzindo condutas, escolhas, fugas e idealizações que se assemelham a uma prisão construída em milênios de condutas repetitivas na esfera do egoísmo.

Esse clima interior de desvalor pessoal é uma das principais causas de nossos desajustes na escola dos relacionamentos frustrados e conflituosos. Se não amamos quem somos, como poderemos envolver com amorosidade o nosso próximo?

E é assim que o carma se cumpre em nossas vidas. Somos atraídos para a busca de pessoas, experiências e contextos que representam nossas necessidades e limitações mais profundas. Teremos acentuada atração para lugares, pessoas e situações que expressam as lições que a vida quer nos ministrar para resgate de nossa condição íntima de autoamor e plenitude. A lei de causa e efeito obedece a probabilidades naturais que regem com absoluta perfeição os destinos e o aprendizado de todos nós.

Carma, portanto, não são os outros; carma, antes de tudo, são nossas carências e ilusões, talentos e habilidades. Os outros são os estágios de aprendizado que a vida nos entrega em favor de nosso avanço e crescimento.

Na ótica justa das leis naturais, não temos carma com o outro. Temos planejamentos visando à reparação de nossas condições íntimas. Planejamentos regidos pelo amor determinam a cooperação, o amparo, a bondade e o apoio no quadro das relações humanas, independentemente de projetos carmáticos. O que determina nossa prisão a condições de colheita obrigatória é o que construímos dentro de nós mesmos. Nos recessos da estrutura mental, arquivamos e orientamos os mais graves e profundos desajustes perante nossa própria consciência.

A palavra carma sugere condenação, principalmente com relação aos vínculos com outras pessoas, mas não é bem assim. O significado de carma está mais próximo dos sentidos de reparação e aperfeiçoamento. A única condenação, se assim podemos nos expressar, existe com relação aos resultados do que fizemos a alguém.

Isso significa que temos de reparar os efeitos infelizes da ação lesiva em nós mesmos. Carma é estar "condenado" a agir – agir para transmutar as tendências, a culpa, as recordações enfermas e remorsos infelizes.

A visão ocidental de carma como ação de devolver ao outro o que lhe tiramos é um exame superficial e cultural que nem sempre corresponde à realidade dos planejamentos reencarnatórios, distanciando-nos dos verdadeiros objetivos de nossas necessidades de aprimoramento.

Por conta dessa forma de entendimento, muitos chegam aqui no mundo espiritual sentindo-se extremamente fracassados por não terem alcançado objetivos e projetos que acalentaram em relação ao próximo, especialmente aos que amaram. Esses espíritos caem na amargura e no derrotismo de supostas perdas e por julgarem que seu amor deveria ter sido suficiente para transformar as pessoas e corrigir os caminhos alheios. Isso acontece porque tombaram em uma das mais velhas ilusões do egoísmo: o de suporem que sua missão pessoal era resgatar débitos e contas cármicas com esse ou aquele grupo. Desencarnam amargurados, infelizes, magoados e tristes, ignorando que o único resgate legitimamente esperado é em relação à própria condição espiritual.

Outros chegam por aqui se supondo quites com a lei por terem suportado provas acirradas e mantido firmeza em seus propósitos e projetos em relação a determinadas pessoas ou contextos. Estes experimentam uma terrível sensação de solidão e ruína quando percebem o pouco que fizeram por si mesmos.

Em ambos os casos, esses espíritos abandonaram a si mesmos, examinando a lei de causa e efeito sob uma perspectiva de justiça sem amor.

O resgate cármico, analisado como se um devedor fosse saldar sua dívida com um credor, é um exame periférico, porque as sábias leis de Deus não têm como proposta o resgate de dívidas, mas sim, a integração das almas nas claridades do amor divino. Sob essa ótica, o suposto devedor também é alvo do resgate para a iluminação espiritual. Carma, portanto, é oportunidade redentora na repetição de aprendizados que a vida já nos conferiu algum dia e não aproveitamos tanto quanto poderíamos.

Será um lamentável equívoco pensar no carma como salvação do outro sem salvação de nós mesmos.

O propósito dos encontros cármicos é salvar e libertar todos os envolvidos nos conflitos conscienciais. Muitos assimilaram uma noção da lei de causa e efeito muito carregada de justiça, como se a proposta da lei divina fosse fazer-nos passar pela mesma intensidade de sofrimento que causamos ao outro, quando, em verdade, o objetivo é oferecer a chance da libertação consciencial pelos caminhos da misericórdia e do amor.

Nessa nova visão do carma, alguém que tenha sido lesado pelas nossas arbitrariedades, essencialmente, não desejaria uma chance da vida para devolver-nos na mesma moeda. Ao contrário, solicitaria de nós a força do amor, o benefício do carinho e do respeito, que, amplamente acolhidos como condutas que expressam as nossas propostas sinceras de perdão, nos dariam a oportunidade de reconstrução de uma nova vida para eles e para nós.

O que nos faz crer que carma é passar pelas agonias da provação dolorosa é nossa concepção de amor nas relações. As crenças que construímos sobre o amor foram as que mais engessaram nossa verdadeira capacidade de amar.

Nosso histórico em relação ao amor é muito mais uma forma de pensar do que um sentimento adquirido.

Pensamos que amamos porque sentimos algo que nomeamos como amor quando uma considerável parcela desse sentimento ainda é um reflexo do egoísmo, isto é, nós nos "amamos" no outro.

Essa forma de pensar o amor é uma crença que nos faz acreditar em um sentimento tão poderoso que chega ao ponto de se tornar prepotente. Um amor que seria capaz de extinguir dentro do outro todos os focos de dor, mesmo quando essa pessoa amada não deseje sair de suas sombrias prisões interiores.

Deus, por exemplo, nos ama intensamente e nem por isso o sentimento do Criador nos liberta das dores e perturbações. Por que isso acontece? Porque amor não é um sentimento cujo propósito seja resolver o que compete ao outro.

A mudança de nossa concepção sobre libertação cármica depende da renovação de nossas crenças sobre o amor.

Registremos seis crenças muito comuns à nossa forma ilusória de amar e procuremos em nossos grupos um debate sincero e acolhedor, à luz dos princípios cristãos, visando à construção de um curso sobre relações que curam:

- A crença de que podemos mudar o outro com nosso amor, mesmo que ele não queira. Conexão entre amor e prepotência.

- A crença de que amar é tolerar sem impor limites. Conexão entre amor e sacrifício.

- A crença de que amar é ser submisso à vontade do outro. Conexão entre amor e autoabandono.

- A crença de que amar é prover a pessoa amada de tudo o que ela solicita. Conexão entre amor e julgamento do que o outro precisa.

- A crença de que o outro vai se modificar por nossa causa. Conexão entre amor e expectativas muito elevadas.

- A crença de que somente com o amor do outro podemos ser felizes. Conexão entre amor e carência.

Pensar que amamos ainda é uma das expressões sombrias do nosso egoísmo milenar. A renovação de nossas crenças é a solução para essa enfermidade moral que um dia nos levará à condição prenunciada por Fénelon: "Amai o vosso próximo como a vós mesmos.' Ora, qual o limite com relação ao próximo? Será a família, a seita, a nação? Não é a Humanidade inteira."

Esse é o amor que celebram aqueles que experimentam as relações cármicas que curam e libertam nossas vidas para a eternidade.

Entrevista sobre autoamor

20

"Hoje, na vossa sociedade, para serdes cristãos, não se vos faz mister nem o holocausto do martírio, nem o sacrifício da vida, mas única e exclusivamente o sacrifício do vosso egoísmo, do vosso orgulho e da vossa vaidade. Triunfareis, se a caridade vos inspirar e vos sustentar a fé."

Espírito protetor (Cracóvia, 1861).

O evangelho segundo o espiritismo, capítulo 11, item 13.

O que é o autoamor?

É a construção de uma relação amorosa e acolhedora com nós mesmos.

Parece-me ser algo tão difícil de ser conquistado! Estou certo?

O amor é um aprendizado. Amor a si, amor ao próximo e amor a Deus são princípios universais de orientação na evolução, e a todos é destinado esse aprendizado no campo do aprimoramento espiritual. Entretanto, para cada espírito, o mapa de estratégias desse aprendizado é muito diverso e toma dimensões de conformidade com seu nível de amadurecimento moral e espiritual.

Amor é algo que tem íntima relação com maturidade espiritual?

Inegavelmente. A maturidade do senso moral e da inteligência afetiva permite melhores habilidades, as quais resultam em comportamento orientado pelo amor.

Quais os aspectos que mais precisamos desenvolver para que amadureçamos espiritual e emocionalmente?

O uso do interesse pessoal sublimado pelo amor, ou seja, a aplicação do egoísmo para seus fins iluminativos.

O amor modera o egoísmo, transformando-o em fonte de proteção e satisfação de necessidades essenciais sem que nos abstenhamos da relação de cooperação e solidariedade fraterna com a vida e com o próximo.

Quem cuida de si com amor legítimo edifica um alicerce sólido para erguer uma convivência saudável, rica de afeto e com dilatada disposição de inclusão incondicional do seu próximo.

Por essa razão, voltamos ao texto de apoio anterior:

"Hoje, na vossa sociedade, para serdes cristãos, não se vos faz mister nem o holocausto do martírio, nem o sacrifício da vida, mas única e exclusivamente o sacrifício do vosso egoísmo, do vosso orgulho e da vossa vaidade. Triunfareis, se a caridade vos inspirar e vos sustentar a fé."

Quando começamos a cuidar de nós com autoamor temos uma sensação de culpa, como se estivéssemos sendo egoístas. Como distinguir autoamor e egoísmo?

Somente enfrentando nosso medo de ser egoístas saberemos qual a justa medida entre egoísmo e proteção dentro dos nossos limites, com base no amor a nós mesmos.

O egoísta só pensa nele. Ao contrário, quem se ama, sente enorme atração, nascida nas fontes profundas do coração, para amar os outros.

Quem se ama sente-se saciado, preenchido, e por essa razão guarda uma capacidade maior e mais equilibrada de estender a mão e de colaborar com as necessidades alheias.

Onde existe amor legítimo não existe espaço para egoísmo tóxico, porque o verdadeiro amor é agregador, sinérgico e solicita proximidade e relação.

Quem se acolhe amorosamente se abre ainda mais para o seu próximo. Quem se ama vai com o seu melhor em direção ao seu semelhante.

Quando o espírito consegue cuidar de si à luz do amor, percebe nitidamente que o amor ao seu próximo é um efeito natural de sua construção interior, de uma relação amorosa e acolhedora com seus sentimentos e com suas atitudes.

Por que temos uma sensação de ser egoístas quando nos direcionamos para o autoamor?

Quando optamos por cuidar de nós mesmos com autoamor, temos uma nítida sensação de que estamos abandonando as pessoas que amamos ou de que nosso comportamento é uma expressão de egoísmo, porque tivemos uma educação emocional muito deficiente. Aprendemos que amor é se anular para que o outro fique bem: lamentável concepção que não reflete o amor de Deus nas leis cósmicas!

Uma reflexão madura nos leva a concluir o contrário, pois, quando cuidamos de nós com sabedoria, colocamo-nos em condições ainda melhores para fazer algo efetivamente útil por aqueles que amamos. Amor não inclui necessariamente o sacrifício, o qual é justo somente quando a vida, em função de provas e necessidades particulares, nos coloca em situações irremediáveis que pedem o nosso testemunho em ciclos de muita dor. Afora isso, o amor de quem sabe cuidar de si é uma promessa de leveza, bons resultados, construção, justiça e crescimento.

Embora o mapa de estratégias para aquisição do autoamor seja individual, poderia nos dar uma recomendação para nossa educação emocional que seja pertinente à maioria de nós?

Aceitação e fé.

Uma das principais razões para não aceitarmos a realidade que nos afeta é a fuga de um dos mais importantes sentimentos para a sanidade psíquica e emocional: o medo. Somente enfrentando os nossos medos e fazendo conexão com suas insinuações conseguiremos a conduta de aceitação com a realidade.

O medo é um indicador saudável de que existe apego a conceitos, crenças e sentimentos, e quem se apega cria uma percepção mental ilusória. Quem não aceita consome-se na revolta de ter de experimentar uma vida desconectada com suas expectativas e idealizações.

Uma das principais razões para a dor do medo é ter um olhar pretensioso e idealista para a existência, é querer que a vida e as pessoas sejam exatamente como achamos que devem ser. Diante disso, muitos corações insensatos na Terra padecem a dor da anulação, da ausência de valor pessoal e do sacrifício voluntário em nome do amor.

Autoamor acontece quando aceitamos a realidade e não resistimos ao que a vida e as pessoas são. Quem aceita permite um estado interior de otimismo e coragem que se chama fé. Pessoas que não se amam passam a maior parte da vida querendo mudar o mundo e as pessoas.

A grande função terapêutica do medo é nos alertar para o que estamos precisando rever dentro de nós, funcionando como um sensor de idealizações e ilusões.

A fé é a armadura de proteção mais resistente que pode existir. E como definir fé nessa situação? Ela deve ser definida como a crença lúcida de que a melhor alternativa que existe diante de nossas necessidades de aprimoramento é o enfretamento de nossas lutas, com a única certeza no coração de que daremos conta de superar todos os nossos obstáculos. Fé é o medo para frente.

Epílogo

Estações da alma no amadurecimento emocional

Estatísticas e levantamentos realizados no setor de pesquisas do Hospital Esperança nas últimas décadas, próximas do virar do milênio, apontavam quais eram os principais resultados emocionais e mentais dos recém-desencarnados que se internavam em nossa casa de amor.

A pesquisa era ampla e, no entanto, estudos apontavam certo destaque para a gravidade de casos em um grande grupo de pessoas que tiveram suas reencarnações orientadas pelo espiritismo. Esse fato nos chamou atenção e levou-nos a pesquisar tratamentos especializados para as necessidades desses espíritos.

Diante disso, um alerta foi expedido por Eurípedes Barsanulfo em reunião com o colegiado do hospital: tornavam-se urgentes algumas iniciativas educativas, começando por divulgar um alerta renovador aos que se encontravam reencarnados na comunidade espírita, disseminando as recomendações de Eurípedes. Esta seria uma medida preventiva visando abrir os olhos dos irmãos de ideal acerca dos perigos e ilusões que constavam nas estatísticas.

Entre várias ações conjuntas e individuais levadas a efeito, através do desdobramento no sono físico, uma delas tinha por objetivo reunir um grupo de 1.500 expositores espíritas cujos nomes estavam registrados nas frentes de trabalho do Departamento de Comunicação e Educação do Hospital Esperança.

O levantamento deixava evidente os seis principais quadros de adoecimento espiritual dos que desencarnaram nos últimos trinta anos do século passado:

- » Enfraquecimento da aspiração ao progresso.
- » Dor do conflito com a hipocrisia.
- » Ausência de realização afetiva.
- » Fuga da realidade.
- » Ignorância sobre si mesmo.
- » Falta de sentido para viver.

Por isso, os técnicos e condutores do hospital destinaram esforços em seis especializações com objetivos terapêuticos nos referidos quadros, quais sejam:

- » Resgate da arte de sonhar.
- » Desenvolvimento da honestidade emocional.
- » Educação da carência afetiva.
- » Morte da idealização.
- » Desenvolvimento do autoconhecimento.
- » Sentido da continuidade da vida.

A esse conjunto de tratamentos deram o nome de Psicologia da Libertação, cujo propósito luminoso seria libertar a consciência do jugo das ilusões à luz dos princípios sadios dos ensinos de Jesus.

Chegada a ocasião do encontro com os expositores, que se deu no mês de março de 1997, todas as providências foram tomadas no intuito de conseguir reunir os 1.500 mensageiros que seriam os divulgadores desse alerta à comunidade espírita. Essa divulgação entre os mensageiros tinha por fim o aumento da sensibilidade dos amigos espíritas a respeito dos cuidados necessários para a expansão da luzes do espiritismo em seus próprios corações.

Mesmo com toda a série de medidas e planejamentos, somente 436 dos expositores convocados, ou seja, menos de um terço do grupo, conseguiram superar as barreiras das lutas na matéria para comparecer à reunião abençoada.

Já passavam das 00:30 no mundo físico, quando dona Modesta, professor Cícero Pereira, Cornélius, e um grupo de onze coordenadores iniciaram o encontro com uma oração e uma pequena leitura. A palavra, então, foi concedida à dona Modesta, que, em nome de Eurípedes, transmitiria o alerta:

Amigos e irmãos do coração, Jesus seja conosco. Estou aqui a pedido do benfeitor Eurípedes Barsanulfo para lhes confiar uma missão emergencial.

Nessa casa de trabalho e recuperação, visamos, antes de tudo, à medicina preventiva, e as avaliações de nossos censos deixam claras as linhas psicológicas de derrotismo e de conflito interior que têm dominado uma infinidade de corações, mesmo quando iluminados pelo conhecimento inspirador do espiritismo.

As pesquisas minuciosas e o cruzamento dos dados que foram apontados em nossos levantamentos classificaram seis principais doenças que aprisionam a alma em quadros de dor no mundo físico, durante o trajeto das reencarnações, trazendo reflexos graves para as esferas do mundo espiritual após o desencarne.

Nossa missão, e também a de vocês, é disseminar nas agremiações de amor à luz do espiritismo esses seis principais focos da Psicologia da Libertação e da cura que lhes apresentamos agora. Após o nosso encontro de hoje, cada um de vocês que se fizeram merecedores de aqui estar terão à sua disposição cursos de aperfeiçoamento e encontros noturnos de preparação para aprofundarem seus conhecimentos nesses pilares, passando por tratamentos e recebendo orientações a respeito de si mesmos que, posteriormente, serão fontes de inspiração para suas palestras e mensagens consoladoras.

Suas explanações, sobre quais temas forem, ganharão conteúdo e estímulo renovador quando afinadas com esses objetivos terapêuticos, considerando que os que vão lhes ouvir guardam na intimidade os dramas e as necessidades profundamente semelhantes com aqueles apontados em nosso estudo.

Nossa inspiração de base para a proposta de divulgação dessa mensagem do bem está no evangelho. A alma, assim como a natureza, tem suas estações, as quais foram muito bem definidas pelo Mestre na magistral parábola do semeador, no texto de Mateus, capítulo treze, versículos três a oito, que passo a ler:

> "E falou-lhe de muitas coisas por parábolas, dizendo: Eis que o semeador saiu a semear.

E, quando semeava, uma parte da semente caiu ao pé do caminho, e vieram as aves, e comeram-na;

E outra parte caiu em pedregais, onde não havia terra bastante, e logo nasceu, porque não tinha terra funda;

Mas, vindo o sol, queimou-se, e secou-se, porque não tinha raiz.

E outra caiu entre espinhos, e os espinhos cresceram e sufocaram-na.

E outra caiu em boa terra, e deu fruto: um a cem, outro a sessenta e outro a trinta."

Temos em nossas vidas a primavera da jovialidade, o verão das provas, o outono das perdas e o inverno do recolhimento e da colheita, que podem ser associados a cada um desses versículos, demonstrando que o amadurecimento emocional obedece a ciclos que não podem ser ignorados.

O espiritismo é um remédio potente para almas em busca de sua própria iluminação. Conquanto essa realidade já seja do conhecimento de nossa comunidade, o orgulho como traço marcante da jovialidade emocional insufla a ideia de uma primavera florida, a qual nos faz recordar a ocasião em que Jesus, ao procurar a figueira, nada encontrou senão folhas, adornos. Os frutos não estavam presentes.[1] Essa primavera pode ser comparada à condição íntima de quem colore a vida intelectual

---

1 Mateus 21:19.

com princípios brilhantes e reluzentes do espiritismo, repletos de idealismo e vigor, e, todavia, permanece distante da maturidade dos desafios nobres e fortalecedores do inverno do recolhimento interior.

Chega, porém, o verão das provações, dos testes rudes da vida, que convocam a descida dos ideais espíritas do cérebro para o coração. Trazer o espiritismo da cabeça para o coração é o maior dos desafios que se apresenta aos seareiros da nossa querida doutrina no plano físico e neste em que nos encontramos agora. Nessa situação, muitos desanimam e tudo abandonam; outros permanecem e deixam morrer seus sonhos. Alguns enganam-se com missões espetaculares em favor do próximo, o que lhes alivia a sensação de inutilidade e de desvalor pessoal, ainda que no interior estejam esfacelados e sem a energia da autorrealização.

Não é fácil prosseguir e persistir. É aqui que muitos deixam o sonho morrer e perdem a batalha para a força dilacerante do conflito com a hipocrisia.

Além das dificuldades desse combate, quase sempre, como efeito de um verão devastador, vem o outono das perdas. O calor do verão derrete os sonhos, e a exótica paisagem do outono subtrai o senso da nossa realidade e da nossa capacidade de realização, lançando-nos às experiências da solidão, da mágoa e da culpa. É o outono das perdas: perdas de amizades, de bens, de amores, de sonhos, de projetos e, a mais desafiadora, a perda de quem achávamos que éramos, que tem por finalidade o encontro do verdadeiro "quem sou".

Tais vivências produzem como resultado um inverno de dores e arrependimentos no qual a vida mental recolhe-se no casulo do medo sem orientação e sem meta, sem vitalidade e sem sonhos, gerando a "morte" psíquica e emocional. Nesse momento, morremos por dentro e ficamos à espera da morte do corpo.

Diante dessas tormentas da dor, muitos companheiros de ideal buscam defesa e força nas tarefas espíritas, supondo, muitos deles, que nada mais lhes resta como alternativa senão trabalhar, estudar e mergulhar com todas as suas convicções nas atividades doutrinárias.

E qual de nós pode contestar essa decisão? Que seria de muitos irmãos queridos se não adotassem semelhante conduta? Sabemos que, possivelmente, não suportariam a sua própria loucura. O movimento para fora e as tarefas têm sido, para uma multidão de trabalhadores, o remédio para aplacar a mente atordoada por culpas, pois provoca uma nítida e agradável sensação de utilidade pessoal. Entretanto, fique clara nossa ressalva a esse respeito: ninguém faz uma cirurgia especializada em um posto de saúde projetado para atendimentos de necessidades mais simples.

O serviço de educação espiritual é muito mais profundo que a simples ação de armazenar conhecimento doutrinário e manter trabalhos em favor do bem alheio. Tem havido muito trabalho por fora, movimento, e pouco trabalho por dentro, reforma íntima.

O movimento nem sempre tem acompanhado a reforma íntima e, para agravar essa situação, tem sido tomado como sinônimo de elevação e crescimento espiritual.

Para quem se encontra no esforço de renovação, é chegado o momento de abrir os olhos para as ilusões pertencentes a esse gênero de aprendizado nas fileiras do espiritismo. É necessário sair da esfera de adesão aos movimentos exteriores, que nem sempre agregam valores ao coração e às vezes alimentam a sensação de grandeza.

Para vivermos nossas reencarnações com alegria e celebração, é preciso estimular o desejo em direção às propostas da Psicologia da Libertação. Não podemos considerar tarefas e dores como sinônimos de avanço espiritual.

Nossa missão como comunicadores da boa nova do Cristo é aliviar os espíritos quanto àquilo que percebem de si mesmos, ampará-los para que consigam melhor nível de aceitação de sua sombra interior, orientá-los sobre a importância de acolherem-se com imenso autoamor.

A estação da alma que mais traduz amadurecimento e elevação espiritual é o inverno do recolhimento no autoamor. Inverno é momento de aproveitar o armazenamento de alimento, instante de usufruir dos frutos colhidos na caminhada da experiência e das conquistas legítimas e eternas.

A diretriz básica de semelhante projeto é educar para o amor que cura, o amor que eleva, o amor que coloca a alma em sintonia com sua própria consciência. É preciso ensinar os Espíritos a garimpar suas próprias preciosidades espirituais.

O princípio orientador dessa mensagem deve se inspirar na fala sábia de Jesus: "Olhai, vigiai e orai;". [2]

---

[2] Marcos 13:33.

Nessa tríplice, "olhai" é o autoconhecimento, "vigiai" é a autotransformação e "orai" é o autoamor. Essa definição parece singela, mas, como sempre, Jesus, o terapeuta do amor, consegue com apenas três verbos traçar um tratado de medicina da alma para eternidade.

Trata-se de três ciclos bem definidos que se entrelaçam em perfeita sincronia para as conquistas morais, emocionais e espirituais.

Olhar tem como significado o autoconhecimento, que está em identidade com a pergunta formulada por Allan Kardec:

> "Qual o meio prático mais eficaz que tem o homem de se melhorar nesta vida e de resistir à atração do mal?
>
> Um sábio da antiguidade vo-lo disse: Conhece-te a ti mesmo."[3]

Vigiar é postura, é comportamento transformador, é ter atenção plena – sem a qual não haverá novas atitudes, novas palavras. Essa vigília é também um estado da mente alerta e atenta, sendo a única condição para a reflexão e a geração de novos hábitos. Vigiar é o movimento de autotransformação aplicada a partir do que se identificou com o autoconhecimento, e este sem aquela pode se resumir a informações racionais sobre a vida interior, conturbando ainda mais a mente com a sombra da soberba e do orgulho. A autotransformação atinge o coração, sendo, antes de tudo, uma mobilização emocional criadora de

---

3   *O livro dos espíritos*, questão 919.

estados íntimos de plenitude e serenidade, o que permite o desejo espontâneo de novas e mais luminosas ações. Ela ocorre quando o autoconhecimento é experimentado na prática, criando respostas, alternativas de melhoria, bagagem sobre os caminhos do crescimento espiritual. Na continuidade da pergunta acima citada, observa-se que Allan Kardec, ainda insatisfeito, indagou: "Conhecemos toda a sabedoria desta máxima, porém a dificuldade está precisamente em cada um conhecer-se a si mesmo. Qual o meio de consegui-lo?". E Santo Agostinho oferece uma das respostas mais lindas sobre o assunto. Se examinarmos atentamente essa resposta, perceberemos que ele fala de reforma na prática, de autotransformação aplicada.

Jesus, porém, não termina seu projeto de saúde integral e ainda refere-se ao orai. Orar é fazer contato com a luz de dentro e de fora, é promover um novo patamar de relação com Deus em nós mesmos, é o autoamor.

Que oração mais poderosa pode existir que a de ter infinito amor para com nossa própria alma? Acolhermo-nos com júbilo e motivação legítimos ante a invasão das sombras que ainda carregamos? Orar é reunir o poder pessoal que pode temporariamente ter sido abalado pelas distrações de nossos impulsos milenares.

Para reunir esse poder será necessário tratarmo-nos como um templo divino que merece respeito, carinho, perdão e amor.

Autoconhecimento é a primavera florida e rica de recados para um futuro promissor.

Autotransformação é o rigor do verão dos aprendizados que temperam e equilibram, seguidos pela ruptura do outono, que recicla por meio de perdas necessárias e inadiáveis.

Autoamor é o inverno, a busca permanente da alma de se recolher e de se acolher com o próprio calor, com os próprios recursos. É você com você nos destinos da vida.

Os espíritos que renasceram na comunidade espírita no pós-guerra trazem necessidades muito parecidas no campo espiritual. Nunca ignoramos em nosso plano de ação, aqui no hospital, que receberíamos esse contingente de companheiros açoitados pelas dores emocionais provenientes de ilusões tão graves nessas últimas décadas do milênio.

Guardem com sabedoria os apontamentos consoladores de nossa fala e anotem por caridade os seis princípios de libertação mais emergentes aos que amam o espiritismo:

- » O resgate da arte de sonhar.
- » O desenvolvimento da honestidade emocional.
- » A educação da carência afetiva.
- » A morte da idealização.
- » A cura da ignorância.
- » O sentido da continuidade da vida.

Nos próximos meses todos aqui presentes passarão por tratamentos especializados para registrarem, o mais profundamente possível, a importância desse roteiro de medicina preventiva para a alma, exercitando-o em suas experiências pessoais.

Muita angústia e aflição marcam os desencarnes nas últimas décadas entre adeptos da doutrina. Isso acontece porque nós, amantes das propostas do Evangelho de Jesus, quase sempre trazemos o nosso mundo emocional bem distante do que já sabemos ser necessário para a melhoria de nossas condições espirituais e morais. Dotados de muita informação, nem sempre conseguimos administrar com sabedoria e equilíbrio a nossa transformação, usando o conhecimento para hierarquizar nossa condição pessoal com títulos, cargos e outras formas de suposta autoridade.

Essa aflição e essa angústia se intensificam ostensivamente após a perda do corpo físico. Ao contrário do que se sente, essas emoções não surgem do nada. Elas já existiam antes do desencarne, mas, na maioria das vezes, eram negadas e reprimidas.

Esses traços emocionais e psíquicos são manifestações pertinenetes às personalidades aflitas e angustiadas. Há várias formas de expressão dessas duas emoções tóxicas. Façamos uma reflexão sobre isso tomando por base a conhecida e profunda frase de Jesus, que é um verdadeiro atestado do quanto Ele sabia sobre a natureza das doenças humanas: "Vinde a mim, todos os que estais cansados e oprimidos, e eu vos aliviarei."[4]

---

4 Mateus 11:28.

O cansaço espiritual vem do conflito milenar que temos enfrentado por não sermos quem gostaríamos de ser, o eu ideal, em contrapartida com quem somos, o eu real. Surge aqui uma espécie de dupla culpa: temos culpa pelo que somos e culpa pela nossa idealização de ser, ainda não alcançada.

A culpa traz a angústia, um estado de sofrimento existencial. Por sua vez, a angústia cansa, exaure, desmotiva, trazendo uma nítida e inconfundível sensação de abatimento perante a vida, podendo se transformar numa porta de entrada de alguns tipos de depressão.

A opressão mencionada por Jesus é aquela provocada pela ignorância acerca de nosso mundo interior, ou seja, é aquela provocada por não sabermos o que sentimos e o que queremos. Ela gera a aflição, um estado de ânsia de causa ignorada, que consequentemente cria a instabilidade emotiva, principalmente através da insegurança acerca de nossas escolhas e desejos. A aflição, por fim, entristece e desorienta.

Cansados porque não nos autotransformamos, oprimidos porque não aprofundamos no autoconhecimento.

Qual de nós, de alguma forma, não se vê enquadrado nesses estados de cansaço e opressão, não é mesmo? Nós, religiosos, por determos maior soma de conhecimento sobre assuntos espirituais, ampliamos, ainda mais, o volume de culpas e inseguranças.

Mas Jesus orienta: "vinde a mim...". Enquanto o cansaço e a opressão marcam o verão e o outono do amadurecimento, o "vinde a mim" é a recomendação para entrarmos em relação com a melhor parte de nós próprios, com nosso Cristo interno. É o autoamor, o acolhimento amoroso e revigorante de nos perdoarmos, nos aceitarmos e caminharmos avante na busca de nossa paz e cura espiritual.

Estamos cansados de seguir padrões religiosos e de filosofar sobre religião. Estamos carentes de sossego interior e de alegria em nossas vidas. Nossa angústia e opressão se resumem à ausência de prazer de viver.

Prazer de viver é uma conquista que surge quando aprendemos como viver em consonância com nossa consciência, distante das ilusões.

Não será exagero afirmar, sem generalizar, evidentemente, que as almas que têm chegado em condições mais razoáveis de harmonia e equilíbrio abriram mão da neurótica necessidade de serem espíritas dentro dos moldes estabelecidos pela ilusão dos adeptos no mundo físico, a fim de atenderem aos apelos da sua consciência individual em busca de uma vida mais autêntica, responsável e rica de alegrias.

Levem o alerta de Jesus aos homens iluminados pelo conhecimento espírita de "que não ficará pedra sobre pedra" no que diz respeito à ordem histórica de ideias e condutas alicerçadas em uma visão institucional do espiritismo.

Amadurecimento é algo interno, e não externo. É necessário termos cuidado com as supostas credenciais de autoridade adotadas pela comunidade!

Falem com coração e respeito, docilidade e acolhimento em suas palestras de amor, concitando homens e mulheres iluminados pelo conhecimento espírita a viverem suas histórias pessoais e a se distanciarem das padronizações indesejáveis e perniciosas.

Os ciclos da vida somente fluem quando celebramos a nossa história pessoal. Cada um de nós nasce para florir e embelezar a vida de um modo único.

A maturidade emocional do inverno nos traz muitas vantagens, e algumas das mais gratificantes são descobrir nossa originalidade e não sermos cópia de ninguém. Não ter uma opinião bem construída sobre si, sem dúvida, é uma fonte de escravidão.

Busquemos essa meta com coragem e com a certeza de que Deus nos criou com todos os recursos que nos capacitam a transformar o ato de existir em uma experiência plena de crescimento e felicidade.

Posfácio
Humanização da comunidade espírita

"E, quando Jesus ia saindo do templo, aproximaram-se dele os seus discípulos para lhe mostrarem a estrutura do templo.

Jesus, porém, lhes disse: Não vedes tudo isto? Em verdade vos digo que não ficará aqui pedra sobre pedra que não seja derribada."

Mateus 24:1 e 2.

Durante dez anos, entre 2000 e 2010, o Hospital Esperança cumpriu extensa e enriquecedora programação de eventos e iniciativas, visando estender à comunidade espírita no mundo físico as premissas luminosas do ideal de humanização.

Por inspiração de doutor Bezerra de Menezes, a mais de uma década, uma equipe de educadores vinculados ao coração de Eurípedes Barsanulfo enviam, através da mediunidade, as premissas e as reflexões básicas para a construção do período de maioridade espiritual no coração dos homens iluminados pelo espiritismo.

A humanização é uma proposta que enriquece a cultura doutrinária de sensibilidade e de discernimento, estimulando a afetividade e agregando conhecimentos morais que permitem uma renovação fundamental nos relacionamentos e nos modelos das atividades alicerçadas nos princípios espíritas.

Essa renovação essencial e urgente é o caminho para trabalharmos pela subtração da excessiva conotação religiosista que impregnou a comunidade de excessos de rigidez e formalismo, incentivando o lamentável processo de elitização e institucionalização.

As sete obras escritas por Ermance Dufaux que compõem a série "Harmonia Interior" representam um singelo resumo dos conteúdos dessa programação realizada no Hospital Esperança e retratam o pensamento e a contribuição de centenas de educadores e trabalhadores de nossa casa de amor no mundo espiritual.

Observem os irmãos queridos que, nos conteúdos enviados ao mundo físico, nosso propósito não foi o combate a organizações ou a conceitos, mas uma formulação mais amorosa e sensata dos ensinos do próprio Cristo.

Jesus foi muito claro com seus discípulos ao falar que não restaria pedra sobre pedra, alertando que o encanto com a grandeza das organizações seria derrubado para que a Sua obra magnífica pudesse reluzir no campo do sentimento humano. A obra do Cristo, definitivamente, não está nas pedras do engessamento e do preconceito que, lamentavelmente, ainda orientam boa parcela da comunidade espírita.

O problema da comunidade não é o Evangelho, nem a vertente religiosa que inegavelmente preponderou, nem tão pouco as organizações que formaram opiniões, mas sim a falta de preparo que ainda temos para gerenciar com sabedoria a profunda e sutil influência dos sentimentos de orgulho e de egoísmo que ainda tomam conta de nossos corações e comportamentos.

Ao encerrar essa etapa de colaboração e parceria entre o mundo físico e espiritual com a série "Harmonia Interior", não poderíamos deixar de revelar que essas anotações de Ermance Dufaux representam um esforço conjunto entre o céu e a Terra, sob tutela do Espírito Verdade, para avançarmos na direção de um mundo melhor, a caminho da regeneração. Esforço singelo, é bem verdade, porém essencial no que diz respeito aos conteúdos a serem assimilados em tempos novos.

Os arejadores do pensamento espírita estão reencarnando, e trabalhar pela humanização é o mesmo que estampar uma linguagem que lhes falará profundamente aos anseios. A nova falange que regressa com planos mais ousados e aprimorados encontrará plena identidade com a proposta humanizadora.

Quem deseja manter-se sintonizado com o futuro breve que nos espera na comunidade terá de enfrentar, a preço de angústia e coragem, a delicada cirurgia remodeladora da forma de pensar, olhar e agir, inspirado nas propostas lúcidas da doutrina espírita sob essa perspectiva humanizadora que nos convoca à aplicação do amor uns com os outros.

Nesses primeiros dez anos do terceiro ciclo, o planejamento do Espírito Verdade para o progresso das ideias espíritas na Terra alcançou suas metas, graças a Deus![1]

Caminhamos agora a passos mais rápidos.

---

[1] Nota da editora: os ciclos referidos podem ser melhor compreendidos na mensagem *Atitude de Amor*, no livro *Seara Bendita*, Editora Dufaux.

Estão disseminadas de forma irrevogável as sementes de um novo tempo.

Sementes viçosas, orientadas por Bezerra de Menezes, que, embora nutra amor incondicional pelas nossas lutas espirituais, não adormece na omissão e nem na ternura envernizada diante dos apelos necessários e contundentes que precisamos todos ouvir na acústica da alma.

Estamos saindo de um longo momento de disputa estéril no movimento espírita. Cansados e oprimidos pelas nossas necessidades pessoais, somos compulsoriamente chamados a cuidar mais de nós que das querelas improdutivas e obsoletas. Toda a ilusória segurança e autoridade atribuída a homens e entidades organizacionais, conforme predito por Jesus, começa a ter suas pedras de engano e tropeço derribadas pela força da verdade.

Entramos em um tempo de maturidade que ainda pedirá muito de todos nós em trabalho, determinação e valor moral. Todavia, é momento de celebrar.

Celebrar, sobretudo, a diversidade e a firmeza de propósitos dos que trabalharam e ainda trabalham por essa clamada mudança de interpretação no seio da comunidade espírita, a fim de que a estrutura de nossas organizações e o traço de nossas ações não seja apenas mais uma repetição dos velhos e desgastados discursos religiosos que apenas nos aprisionaram a consciência em ilusões venenosas.

As gerações novas do espiritismo enriquecerão a comunidade com novos valores e novas referências. Quem observar já poderá contemplar parcialmente essa realidade.

Que os bons ventos possam nos trazer cada dia mais esse arejamento inspirador de novas metas e propósitos e que possamos virar a página de nossa história, escrevendo um novo capítulo no qual as marcas do Cristo possam sobressair em favor da mensagem do amor.

Por entre as bênçãos da paz e da alegria de servir, recebam meu carinho,

Maria Modesto Cravo, agosto de 2013.

Ficha Técnica

Título

Emoções que Curam

Autoria

Espírito Ermance Dufaux

psicografia de Wanderley Oliveira

Edição

1ª

ISBN

978-85-63365-28-6

Capa

Tuane Silva e Wilson Meira

Projeto gráfico e diagramação

Tuane Silva

Revisão

Débora Couto e Thaísa Moreira

Coordenação e preparação de originais

Maria José da Costa e Nilma Helena

Composição

Adobe Indesign CS6 (plataforma Mac)

Páginas

273

Tamanho do Miolo

16x23cm

Capa 16x23

Tipografia

Texto principal: Cambria 13pt

Título: Carolyne Pro

Notas de rodapé: Cambria 9pt

Margens

17mm: 25mm: 28mm: 20mm

(superior:inferior:interna:externa)

Papel

Miolo Offset LD FSC 75g/m2

Capa Cartão Supremo LD FSC 250g/m2

Cores

Miolo 1x1 CMYK

Capa em 5 x 0 cores CMYK e Pantone 178U

Impressão

Format (Belo Horizonte/MG)

Acabamento

Miolo: Brochura, cadernos de 32 páginas, colados.

Capa com orelhas laminação BOPP fosca

Tiragem

1000

Produção

Agosto/2022

Nossas Publicações

EDITORA DUFAUX

WWW.EDITORADUFAUX.COM.BR

SÉRIE REFLEXÕES DIÁRIAS

PARA SENTIR DEUS

Nos momentos atuais da humanidade sentimos extrema necessidade da presença de Deus. Ermance Dufaux resgata, para cada um, múltiplas formas de contato com Ele, de como senti-Lo em nossas vidas, nas circunstâncias que nos cercam e nos semelhantes que dividem conosco a jornada reencarnatória. Ver, ouvir e sentir Deus em tudo e em todos.

Wanderley Oliveira | Ermance Dufaux
11 x 15,5 cm | 133 páginas

Somente

LIÇÕES PARA O AUTOAMOR

Mensagens de estímulo na conquista do perdão, da aceitação e do amor a si mesmo. Um convite à maravilhosa jornada do autoconhecimento que nos conduzirá a tomar posse de nossa herança divina.

Wanderley Oliveira | Ermance Dufaux
11 x 15,5 cm | 128 páginas

Somente

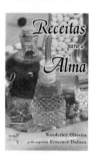

RECEITAS PARA A ALMA

Mensagens de conforto e esperança, com pequenos lembretes sobre a aplicação do Evangelho para o dia a dia. Um conjunto de propostas que se constituem em verdadeiros remédios para nossas almas.

Wanderley Oliveira | Ermance Dufaux
11 x 15,5 cm | 146 páginas

Somente

 ## SÉRIE CULTO NO LAR

VIBRAÇÕES DE PAZ EM FAMÍLIA

Quando a família se reune para orar, ou mesmo um de seus componetes, o ambiente do lar melhora muito. As preces são emissões poderosas de energia que promovem a iluminação interior. A oração em família traz paz e fortalece, protege e ampara a cada um que se prepara para a jornada terrena rumo à superação de todos os desafios.

Wanderley Oliveira | Ermance Dufaux
16 x 23 cm | 212 páginas

JESUS - A INSPIRAÇÃO DAS RELAÇÕES LUMINOSAS

Após o sucesso de "Emoções que curam", o espírito Ermance Dufaux retorna com um novo livro baseado nos ensinamentos do Cristo, destacando que o autoamor é a garantia mais sólida para a construção de relacionamentos luminosos.

Wanderley Oliveira | Ermance Dufaux
16 x 23 cm | 304 páginas

REGENERAÇÃO - EM HARMONIA COM O PAI

Nos dias em que a Terra passa por transformações fundamentais, ampliando suas condições na direção de se tornar um mundo regenerado, é necessário desenvolvermos uma harmonia inabalável para aproveitar as lições que esses dias nos proporcionam por meio das nossas decisões e das nossas escolhas, [...].

Samuel Gomes | Diversos Espíritos
14 x 21 cm | 223 páginas

AMOROSIDADE - A CURA DA FERIDA DO ABANDONO

Uma das mais conhecidas prisões emocionais na atualidade é a dor do abandono, a sensação de desamparo. Essa lesão na alma responde por larga soma de aflições em todos os continentes do mundo. Não há quem não esteja carente de ser protegido e acolhido, amado e incentivado nas lutas de cada dia.

Wanderley Oliveira | Ermance Dufaux
16 x 23 cm | 300 páginas

TRILOGIA DESAFIOS DA CONVIVÊNCIA

QUEM SABE PODE MUITO. QUEM AMA PODE MAIS

A lição central desta obra é mostrar que o conhecimento nem sempre é suficiente para garantir a presença do amor nas relações. "Estar informado é a primeira etapa. Ser transformado é a etapa da maioridade." - Eurípedes Barsanulfo.

Wanderley Oliveira | José Mário
16 x 23 cm | 312 páginas

QUEM PERDOA LIBERTA - ROMPER OS FIOS DA MÁGOA ATRAVÉS DA MISERICÓRDIA

Continuação do livro "QUEM SABE PODE MUITO. QUEM AMA PODE MAIS" dando sequência à trilogia "Desafios da Convivência".

Wanderley Oliveira | José Mário
16 x 23 cm | 320 páginas

SERVIDORES DA LUZ NA TRANSIÇÃO PLANETÁRIA

Nesta obra recebemos o convite para nos integrar nas fileiras dos Servidores da Luz, atuando de forma consciente diante dos desafios da transição planetária. Brilhante fechamento da trilogia.

Wanderley Oliveira | José Mário
14x21 cm | 298 páginas

 SÉRIE **HARMONIA INTERIOR**

LAÇOS DE AFETO - CAMINHOS DO AMOR NA CONVIVÊNCIA

Uma abordagem sobre a importância do afeto em nossos relacionamentos para o crescimento espiritual. São textos baseados no dia a dia de nossas experiências. Um estímulo ao aprendizado mais proveitoso e harmonioso na convivência humana.

Wanderley Oliveira | Ermance Dufaux
16 x 23 cm | 312 páginas

 [ESPANHOL]

MEREÇA SER FELIZ - SUPERANDO AS ILUSÕES DO ORGULHO

Um estudo psicológico sobre o orgulho e sua influência em nossa caminhada espiritual. Ermance Dufaux considera essa doença moral como um dos mais fortes obstáculos à nossa felicidade, porque nos leva à ilusão.

Wanderley Oliveira | Ermance Dufaux
16 x 23 cm | 296 páginas

 [ESPANHOL]

TERAPIAS DO ESPÍRITO

Integra saberes espirituais e terapias integrais em uma abordagem inovadora que promove o autoconhecimento, o reequilíbrio energético e a cura integral do Ser.

Dalton Eloy | 16 x 23 cm | 290 páginas

REFORMA ÍNTIMA SEM MARTÍRIO - AUTOTRANSFORMAÇÃO COM LEVEZA E ESPERANÇA

As ações em favor do aperfeiçoamento espiritual dependem de uma relação pacífica com nossas imperfeições. Como gerenciar a vida íntima sem adicionar o sofrimento e sem entrar em conflito consigo mesmo?

Wanderley Oliveira | Ermance Dufaux
16 x 23 cm | 288 páginas

ESCUTANDO SENTIMENTOS - A ATITUDE DE AMAR-NOS COMO MERECEMOS

Ermance afirma que temos dado passos importantes no amor ao próximo, mas nem sempre sabemos como cuidar de nós, tratando-nos com culpas, medos e outros sentimentos que não colaboram para nossa felicidade.

Wanderley Oliveira | Ermance Dufaux
16 x 23 cm | 256 páginas

PRAZER DE VIVER - CONQUISTA DE QUEM CULTIVA A FÉ E A ESPERANÇA

Neste livro, Ermance Dufaux, com seus ensinos, nos auxilia a pensar caminhos para alcançar nossas metas existenciais, a fim de que as nossas reencarnações sejam melhor vividas e aproveitadas.

Wanderley Oliveira | Ermance Dufaux
16 x 23 cm | 248 páginas

DIFERENÇAS NÃO SÃO DEFEITOS - A RIQUEZA DA DIVERSIDADE NAS RELAÇÕES HUMANAS

Ninguém será exatamente como gostaríamos que fosse. Quando aprendemos a conviver bem com os diferentes e suas diferenças, a vida fica bem mais leve. Aprenda esse grande SEGREDO e conquiste sua liberdade pessoal.

Wanderley Oliveira | Ermance Dufaux
16 x 22,5 cm | 248 páginas

EMOÇÕES QUE CURAM - CULPA, RAIVA E MEDO COMO FORÇAS DE LIBERTAÇÃO

Um convite para aceitarmos as emoções como forma terapêutica de viver, sintonizando-o pensamento com a realidade e com o desenvolvimento da autoaceitação.

Wanderley Oliveira | Ermance Dufaux
16 x 23 cm | 272 páginas

 ## SÉRIE AUTOCONHECIMENTO

QUAL A MEDIDA DO SEU AMOR?

Propõe revermos nossa forma de amar, pois estamos mais próximos de uma visão particularista do que de uma vivência autêntica desse sentimento. Superar limites, cultivar relações saudáveis e vencer barreiras emocionais são alguns dos exercícios na construção desse novo olhar.

Wanderley Oliveira | Ermance Dufaux
16 x 23 cm | 208 páginas

APAIXONE-SE POR VOCÊ

Você já ouviu alguém dizer para outra pessoa: "minha vida é você"?
Enquanto o eixo de sua sustentação psicológica for outra pessoa, a sua vida estará sempre ameaçada, pois o medo da perda vai rondar seus passos a cada minuto.

Wanderley Oliveira
16 x 23 cm | 152 páginas

DESCOMPLIQUE, SEJA LEVE

Um livro de mensagens para apoiar sua caminhada na aquisição de uma vida mais suave e rica de alegrias na convivência.

Wanderley Oliveira
16 x 23 cm | 238 páginas

A VERDADE ALÉM DAS APARÊNCIAS - O UNIVERSO INTERIOR

Liberte-se da ansiedade e da angústia, direcionando o seu espírito para o único tempo que realmente importa: o presente. Nele você pode construir um novo olhar, amplo e consciente, que levará você a enxergar a verdade além das aparências.

Samuel Gomes
14 x 21 cm | 272 páginas

7 CAMINHOS PARA O AUTOAMOR

O tema central dessa obra é o autoamor que, na concepção dos educadores espirituais, tem na autoestima o campo elementar para seu desenvolvimento. O autoamor é algo inato, herança divina, enquanto a autoestima é o serviço laborioso e paciente de resgatar essa força interior, ao longo do caminho de volta à casa do Pai.

Wanderley Oliveira | Pai João de Angola
16 x 23 cm | 272 páginas

FALA, PRETO VELHO

Um roteiro de autoproteção energética através do autoamor. Os textos aqui desenvolvidos permitem construir nossa proteção interior por meio de condutas amorosas e posturas mentais positivas, para criação de um ambiente energético protetor ao redor de nossas vidas.

Wanderley Oliveira | Pai João de Angola
16 x 23 cm | 291 páginas

DEPRESSÃO E AUTOCONHECIMENTO - COMO EXTRAIR PRECIOSAS LIÇÕES DESSA DOR

A proposta de tratamento complementar da depressão aqui abordada tem como foco a educação para lidar com nossa dor, que muito antes de ser mental, é moral.

Wanderley Oliveira
16 x 23 cm | 235 páginas

A REDENÇÃO DE UM EXILADO

A obra traz informações sobre a formação da civilização, nos primórdios da Terra, que contou com a ajuda do exílio de milhões de espíritos mandados para cá para conquistar sua recuperação moral e auxiliar no desenvolvimento das raças e da civilização. É uma narrativa do Apóstolo Lucas, que foi um desses enviados, e que venceu suas dificuldades íntimas para seguir no trabalho orientado pelo Cristo.

Samuel Gomes | Lucas
16 x 23 cm | 368 páginas

CONECTE-SE A VOCÊ - O ENCONTRO DE UMA NOVA MENTALIDADE QUE TRANSFORMARÁ A SUA VIDA

Este livro vai te estimular na busca de quem você é verdadeiramente. Com leitura de fácil assimilação, ele é uma viagem a um país desconhecido que, pouco a pouco, revela características e peculiaridades que o ajudarão a encontrar novos caminhos. Para esta viagem, você deve estar conectado a sua essência. A partir daí, tudo que você fizer o levará ao encontro do propósito que Deus estabeleceu para sua vida espiritual.

Rodrigo Ferretti
16 x 23 cm | 256 páginas

TRILOGIA REGENERAÇÃO

FUTURO ESPIRITUAL DA TERRA

As necessidades, as estruturas perispirituais e neuropsíquicas, o trabalho, o tempo, as características sociais e os próprios recursos de natureza material se tornarão bem mais sutis. O futuro já está em construção e André Luiz, através da psicografia de Samuel Gomes, conta como será o Futuro Espiritual da Terra.

Samuel Gomes | André Luiz
16 x 23 cm | 344 páginas

XEQUE-MATE NAS SOMBRAS - A VITÓRIA DA LUZ

André Luiz traz notícias das atividades que as colônias espirituais, ao redor da Terra, estão realizando para resgatar os espíritos que se encontram perdidos nas trevas e conduzi-los a passar por um filtro de valores, seja para receberem recursos visando a melhorar suas qualidades morais – se tiverem condições de continuar no orbe – seja para encaminhá-los ao degredo planetário.

Samuel Gomes | André Luiz
16 x 23 cm | 212 páginas

A DECISÃO - CRISTOS PLANETÁRIOS DEFINEM O FUTURO ESPIRITUAL DA TERRA

"Os Cristos Planetários do Sistema Solar e de outros sistemas se encontram para decidir sobre o futuro da Terra na sua fase de regeneração. Numa reunião que pode ser considerada, na atualidade, uma das mais importantes para a humanidade terrestre, Jesus faz um pronunciamento direto sobre as diretrizes estabelecidas por Ele para este período."

Samuel Gomes | André Luiz e Chico Xavier
16 x 23 cm | 210 páginas

ESTUDOS DOUTRINÁRIOS

ATITUDE DE AMOR

Opúsculo contendo a palestra "Atitude de Amor" de Bezerra de Menezes, o debate com Eurípedes Barsanulfo sobre o período da maioridade do Espiritismo e as orientações sobre o "movimento atitude de amor". Por uma efetiva renovação pela educação moral.

Wanderley Oliveira | Ermance Dufaux e Cícero Pereira
14 x 21 cm | 94 páginas

SEARA BENDITA

Um convite à reflexão sobre a urgência de novas posturas e conceitos. As mudanças a adotar em favor da construção de um movimento social capaz de cooperar com eficácia na espiritualização da humanidade.

Wanderley Oliveira e Maria José Costa | Diversos Espíritos
14 x 21 cm | 284 páginas

Gratuito em nosso site, somente em:

NOTÍCIAS DE CHICO

"Nesta obra, Chico Xavier afirma com seu otimismo natural que a Terra caminha para uma regeneração de acordo com os projetos de Jesus, a caracterizar-se pela tolerância humana recíproca e que precisamos fazer a nossa parte no concerto projetado pelo Orientador Maior, principalmente porque ainda não assumimos responsabilidades mais expressivas na sustentação das propostas elevadas que dizem respeito ao futuro do nosso planeta."

Samuel Gomes | Chico Xavier
16 x 23 cm | 181 páginas

EVANGELHO SEGUNDO O ESPIRITISMO

Explicação dos ensinos morais de Jesus à luz do Espiritismo, com comentários e instruções dos espíritos para aplicação prática nas experiências do dia a dia.

Allan Kardec | Espírito da Verdade
16 x 23 cm | 416 páginas

MEDICAÇÕES ESPIRITUAIS

Um convite à cura da alma por meio do autoconhecimento, da espiritualidade e da vocação. Reflexões profundas sobre o propósito da vida e a transformação interior.

Luis Petraca | Espírito Frei Fabiano de Cristo
16 x 23 cm | 252 páginas

ROMANCES MEDIÚNICOS

OS DRAGÕES - O DIAMANTE NO LODO NÃO DEIXA DE SER DIAMANTE

Um relato leve e comovente sobre nossos vínculos com os grupos de espíritos que integram as organizações do mal no submundo astral.

Wanderley Oliveira | Maria Modesto Cravo
16 x 23cm | 522 páginas

LÍRIOS DE ESPERANÇA

Ermance Dufaux alerta os espíritas e lidadores do bem de um modo geral, para as responsabilidades urgentes da renovação interior e da prática do amor neste momento de transição evolutiva, através de novos modelos de relação, como orientam os benfeitores espirituais.

Wanderley Oliveira | Ermance Dufaux
16 x 23 cm | 508 páginas

AMOR ALÉM DE TUDO

Regras para seguir e rótulos para sustentar. Até quando viveremos sob o peso dessas ilusões? Nessa obra reveladora, Dr. Inácio Ferreira nos convida a conhecer a verdade acima das aparências. Um novo caminho para aqueles que buscam respeito às diferenças e o AMOR ALÉM DE TUDO.

Wanderley Oliveira | Inácio Ferreira
16 x 23 cm | 252 páginas

ABRAÇO DE PAI JOÃO

Pai João de Angola retorna com conceitos simples e práticos, sobre os problemas gerados pela carência afetiva. Um romance com casos repletos de lutas, desafios e superações. Esperança para que permaneçamos no processo de resgate das potências divinas de nosso espírito.

Wanderley Oliveira | Pai João de Angola
16 x 23 cm | 224 páginas

UM ENCONTRO COM PAI JOÃO

A obra também fala do valor de uma terapia, da necessidade do autoconhecimento, dos tipos de casamentos programados antes do reencarne, dos processos obsessivos de variados graus e do amparo de Deus para nossas vidas por meio dos amigos espirituais e seus trabalhadores encarnados. Narra também em detalhes a dinâmica das atividades socorristas do centro espírita.

Wanderley Oliveira | Pai João de Angola
16 x 23 cm | 220 páginas

O LADO OCULTO DA TRANSIÇÃO PLANETÁRIA

O espírito Maria Modesto Cravo aborda os bastidores da transição planetária com casos conectados ao astral da Terra.

Wanderley Oliveira | Maria Modesto Cravo
16 x 23 cm | 288 páginas

PERDÃO - A CHAVE PARA A LIBERDADE

Neste romance revelador, conhecemos Onofre, um pai que enfrenta a perda de seu único filho com apenas oito anos de idade. Diante do luto e diversas frustrações, um processo desafiador de autoconhecimento o convida a enxergar a vida com um novo olhar. Será essa a chave para a sua libertação?

Adriana Machado | Ezequiel
14 x 21 cm | 288 páginas

1/3 DA VIDA - ENQUANTO O CORPO DORME A ALMA DESPERTA

A atividade noturna fora da matéria representa um terço da vida no corpo físico, e é considerada por nós como o período mais rico em espiritualidade, oportunidade e esperança.

Wanderley Oliveira | Ermance Dufaux
16 x 23 cm | 279 páginas

NEM TUDO É CARMA, MAS TUDO É ESCOLHA

Somos todos agentes ativos das experiências que vivenciamos e não há injustiças ou acasos em cada um dos aprendizados.

Adriana Machado | Ezequiel
16 x 23 cm | 536 páginas

REENCONTRO DE ALMAS

Entre encontros espirituais e reencontros marcados pelo amor, o romance revela as escolhas, renúncias e resgates de almas destinadas a se encontrarem novamente através dos séculos.

Alcir Tonoli | Espírito Milena
16 x 23 cm | 280 páginas

RETRATOS DA VIDA - AS CONSEQUÊNCIAS DO DESCOMPROMETIMENTO AFETIVO

Túlio costumava abstrair-se da realidade, sempre se imaginando pintando um quadro; mais especificamente pintando o rosto de uma mulher. Vivendo com Dora um casamento já frio e distante, uma terrível e insuportável dor se abate sobre sua vida. A dor era tanta que Túlio precisou buscar dentro de sua alma uma resposta para todas as suas angústias. A partir de lembranças se desenrola a história de Túlio através de suas experiências reencarnatórias.

Clotilde Fascioni
16 x 23 cm | 175 páginas

O PREÇO DE UM PERDÃO - AS VIDAS DE DANIEL

Daniel se apaixona perdidamente e, por várias vidas, é capaz de fazer qualquer coisa para alcançar o objetivo de concretizar o seu amor. Mas suas atitudes, por mais verdadeiras que sejam, o afastam cada vez mais desse objetivo. É quando a vida o para.

André Figueiredo e Fernanda Sicuro | Espírito Bruno
16 x 23 cm | 333 páginas

ROMANCE JUVENIL

UM JOVEM OBSESSOR - A FORÇA DO AMOR NA REDENÇÃO ESPIRITUAL

Um jovem conta sua história, compartilhando seus problemas após a morte, falando sobre relacionamentos, sexo, drogas e, sobretudo, da força do amor na redenção espiritual.

Adriana Machado | Jefferson
16 x 23 cm | 392 páginas

UM JOVEM MÉDIUM - CORAGEM E SUPERAÇÃO PELA FORÇA DA FÉ

A mediunidade é um canal de acesso às questões de vidas passadas que ainda precisam ser resolvidas. O livro conta a história do jovem Alexandre que, com sua mediunidade, se torna o intermediário entre as histórias de vidas passadas daqueles que o rodeiam tanto no plano físico quanto no plano espiritual.
Surpresos com o dom mediúnico do menino, os pais, de formação Católica, se veem às voltas com as questões espirituais que o filho querido traz para o seio da família.

Adriana Machado | Ezequiel
16 x 23 cm | 365 páginas

RECONSTRUA SUA FAMÍLIA - CONSIDERAÇÕES PARA O PÓS-PANDEMIA

Vivemos dias de definição, onde nada mais será como antes. Necessário redefinir e ampliar o conceito de família. Isso pode evitar muitos conflitos nas interações pessoais. O autoconhecimento seguido de reforma íntima será o único caminho para transformação do ser humano, das famílias, das sociedades e da humanidade.

Dr. Américo Canhoto
16 x 23 cm | 237 páginas

TRILOGIA ESPÍRITOS DO BEM

GUARDIÕES DO CARMA - A MISSÃO DOS EXUS NA TERRA

Pai João de Angola quebra com o preconceito criado em torno dos exus e mostra que a missão deles na Terra vai além do que conhecemos. Na verdade, eles atuam como guardiões do carma, nos ajudando nos principais aspectos de nossas vidas.

Wanderley Oliveira | Pai João de Angola
16 x 23 cm | 288 páginas

GUARDIÃS DO AMOR - A MISSÃO DAS POMBAGIRAS NA TERRA

"São um exemplo de amor incondicional e de grandeza da alma. São mães dos deserdados e angustiados. São educadoras e desenvolvedoras do sagrado feminino, e nesse aspecto são capazes de ampliar, nos homens e nas mulheres, muitas conquistas que abrem portas para um mundo mais humanizado, [...]".

Wanderley Oliveira | Pai João de Angola
16 x 23 cm | 232 páginas

GUARDIÕES DA VERDADE - NADA FICARÁ OCULTO

Neste momento de batalhas decisivas rumo aos tempos da regeneração, esta obra é um alerta que destaca a importância da autenticidade nas relações humanas e da conduta ética como bases para uma forma transparente de viver. A partir de agora, nada ficará oculto, pois a Verdade é o único caminho que aguarda a humanidade para diluir o mal e se estabelecer na realidade que rege o universo.

Wanderley Oliveira | Pai João de Angola
16 x 23 cm | 236 páginas

TRILOGIA CONSCIÊNCIA DESPERTA

SAIA DO CONTROLE - UM DIÁLOGO TERAPÊUTICO E LIBERTADOR ENTRE A MENTE E A CONSCIÊNCIA

Agimos de forma instintiva por não saber observar os pensamentos e emoções que direcionam nossas ações de forma condicionada. Por meio de uma observação atenta e consciente, identificando o domínio da mente em nossas vidas, passamos a viver conscientes das forças internas que nos regem.

Rossano Sobrinho
16 x 23 cm | 264 páginas

LIBERTE-SE DA SUA MENTE

Um guia de autoconhecimento e meditações que conduz o leitor à superação de padrões mentais e emocionais, promovendo equilíbrio, paz interior e despertar espiritual.

Rossano Sobrinho
16 x 23 cm | 218 páginas

SÉRIE FAMÍLIA E ESPIRITUALIDADE

ESCOLHA VIVER

Relatos reais de espíritos que enfrentaram o suicídio e encontraram no amor, na espiritualidade e na esperança um novo caminho para seguir e reconstruir suas jornadas.

Wanderley Oliveira | Espírito Ebert Morales
16 x 23 cm | 188 páginas